D0184455

Cochleaire capriolen

gehoor in beweging

Colofon

ISBN: 978 90 8954 131 4
1e druk 2009
© 2009 Elske Posthuma

Exemplaren zijn te bestellen via de boekhandel
of rechtstreeks bij de uitgeverij:
Uitgeverij Elikser B.V.
Ossekop 4
Postbus 2532
8901 AA Leeuwarden
Telefoon: 058-2894857
www.elikser.nl

Vormgeving omslag en binnenwerk:
Evelien Veenstra
Foto voorzijde: Jacko Morren
Elske Posthuma is te bereiken via cochleairecapriolen@live.nl

Disclaimer
De informatie in dit boek is zorgvuldig verzameld, verwerkt en weergegeven. De schrijver
van dit boek is niet aansprakelijkheid voor gevolgen van eventueel onjuist weergegeven
informatie.

Onder voorwaarde van vermelding van de volgende teksten is een aantal afbeeldingen over-
genomen uit Wikipedia:
Toestemming wordt verleend tot het kopiëren, verspreiden en/of wijzigen van dit document
onder de bepalingen van de GNU-licentie voor vrije documentatie, versie 1.2, of iedere latere
versie uitgegeven door de Free Software Foundation; zonder Invariante Secties, zonder Omslagteksten voor de Voorkant en zonder Omslagteksten voor de Achterkant. Een kopie van de
licentie is opgenomen in de sectie getiteld "GNU-licentie voor vrije documentatie". U mag dit
object kopiëren, veranderen en commercieel gebruiken zolang u het onder dezelfde licentie
uitgeeft, de auteur(s) vermeldt en de tekst van de licentie meelevert.
This image is a work of the National Institutes of Health, part of the United States Department
of Health and Human Services. As a work of the U.S. federal government, the image is in the
public domain.

Cochleaire capriolen

gehoor in beweging

Elske Posthuma

Voorwoord

Toen Elske een jaar of 12 was ging ik als jong audioloog eens naar haar basisschool want ik zou een akoestiekmeting doen in haar klas. De bedoeling daarvan was, dat ik het hoofd van de school kon adviseren over eventuele aanpassingen in de klas in verband met het slechthorende meisje dat daar zat. Toen ik, gewapend met in elke hand een meetapparaat, de klas binnenkwam trof ik daar een treurig tafereel. Een boomlang, verdrietig meisje zat moederziel alleen aan een bankje vlak tegen het tafeltje van de meester. Ongetwijfeld goedbedoeld in het kader van haar slechthorendheid, maar wat een hoopje verdriet. Het was 1983. Dit beeld heeft de jaren daarna in niet geringe mate mijn persoonlijke houding bepaald als het om slechthorende kinderen ging.

Ik heb Elske zien opgroeien van dat hoopje verdriet toen - in die laatste klas lagere school - tot jonge meid en vervolgens tot sterke jonge vrouw. Ik heb de periodes van onbegrepen en ook weer voorbijgaande doofheid meegemaakt, wat mij vaak een machteloos gevoel gaf. Ik heb als audioloog Elskes worsteling met haar schildklier, haar gehoor en het onbeschrijflijke verlies van haar muziek van dichtbij meegemaakt. Maar ook het wonder van nieuwe hoortoestellen. Toen Elske voor het eerst een digitaal hoortoestel kreeg was ze verrast dat een thermoskan een piepend geluid kon maken en dat haar adem en de rits van de jas ook geluid maakte. Zo zag ik bij elk nieuw hoortoestel haar wereld weer een beetje groter worden met het CI als voorlopige apotheose.

Ik heb in de afgelopen 25 jaren veel met Elske gepraat. En nu ligt voor me haar verhaal.

Ik lees het en het voelt dichterbij dan ooit. Een bijzondere ervaring.
Lieve Elske, het ga je goed.

Peter Kraft, audioloog
november 2009

Inleiding

Er zijn in Nederland meer dan 1,4 miljoen mensen die een hoorprobleem hebben. We kennen verschillende hoorproblemen, zoals bijvoorbeeld doof, laat doof, plotsdoof, lawaaidoofheid, slechthorend, oorsuizen, hyperacusis (overgevoeligheid voor geluid). Er komen per jaar duizenden slechthorenden bij. Steeds meer jongeren worden slechthorend omdat zij te vaak naar keiharde muziek luisteren. Mensen die doof zijn en een implantaat krijgen, worden in plaats van doof, slechthorend. Nederland vergrijst, de meeste ouderen worden slechthorend. In 2008 stond slechthorendheid op de eerste plaats in de toptienlijst van gemelde beroepsziekten.

Slechthorenden vormen een groep die tussen wal en schip valt. Zij zijn niet doof, maar horen ook niet goed. Dat zorgt ervoor zij zich vaak niet thuis voelen bij doven maar ook niet bij goedhorenden. Zij hebben niet, zoals doven wel hebben, een echte eigen cultuur. Geen eigen taal. Ze doen van beide wat. Gewoon praten, wat liplezen en misschien communiceren met ondersteunende gebaren. Zij moeten functioneren in een wereld die steeds meer van hen vraagt, vooral als het gaat om snelheid en efficiëntie. Een wereld die geen ruimte meer biedt aan mensen die, vanwege wat moeizamere communicatie, daartoe niet in staat zijn. Zelfs gezonde mensen, zonder beperkingen, kunnen de gejaagdheid van ons bestaan soms niet meer aan. Slechthorenden nemen vaak te weinig het initiatief om duidelijk te maken hoe anderen rekening met hun kunnen houden. Zij hebben de nodige 'deuken' opgelopen in het leven. Vaak zijn ze teleurgesteld over hun eigen kansen en mogelijkheden en over de hardheid van de wereld om hen heen. Zij hebben pijn opgelopen in miscommunicatie met anderen en voelen zich niet altijd begrepen. Sommigen hebben het zelfs 'opgegeven'.

Mijn naam is Elske Posthuma en ik ben 36 jaar. Ik ben altijd slechthorend geweest. Mijn gehoor is langzaam achteruit gegaan. Ik ben maatschappelijk werker en ik houd van mijn werk. Praten en luisteren naar mensen en samen zoeken naar oplossingen of nieuwe wegen.

Dit boek gaat over slechthorendheid, geschreven vanuit het idee dat slechthorenden in de wereld meer begrip krijgen wanneer zij open zijn over wat slechthorendheid voor hen inhoudt. Dat zij vertellen welke invloed dit heeft op hun leven en blijven aangeven wat zij nodig hebben om goed te kunnen functioneren. Het is vaak niet op te lossen door wat luider en duidelijker te spreken. Pas wanneer mensen meer weten over wat het betekent om slecht te horen en wat zij kunnen doen om de communicatie met slechthorenden te verbeteren, is optimale integratie mogelijk.

Mijn bedoeling met dit boek is om te vertellen over mijn ervaringen met slechthorendheid, doof worden en het krijgen van een implantaat. Mijn gehoor heeft heel wat cochleaire capriolen uitgehaald in mijn leven. Cochleair is afgeleid van cochlea en dat betekent: slakkenhuis. Ik wil proberen uit te leggen wat het kan betekenen in het dagelijks leven wanneer je niet goed kunt horen. Uiteindelijk hoop ik dat dit boek slechthorenden aanzet om te gaan voor het allerbeste en op die manier mee te helpen de wereld voor auditief gehandicapten toegankelijker te maken. Zij zijn degenen die van zich moeten laten horen! Ik hoop dat dit boek mensen met goede oren bewust maakt van de wereld van geluid, horen en slecht horen. Dat zij misschien zelfs hun eigen gehoor meer op waarde zullen schatten en het beter beschermen. Daarnaast hoop ik dat zij willen luisteren naar de verhalen en wensen van slechthorenden. Zo kunnen we gezamenlijk werken aan een wereld waarin iedereen optimaal tot zijn recht komt.

In de verschillende hoofdstukken is extra informatie gekaderd weergegeven. Deze informatie heeft verbinding met het verhaal maar kan eventueel later gelezen worden.

Het gemak dient de mens: daar waar 'hij' staat, kan ook 'zij' gelezen worden.

Hoofdstuk 1

Zondagmorgen, 5 oktober 2008

De wekker loopt af. Ik ga op mijn bed zitten, pak mijn hoorapparaat en stop het in mijn oor. Nee! Ik weet het direct. Mijn hart klopt in mijn keel. Ik voel de paniek in mijn lijf en ik stoot Hans wakker. Ik hoor hem nog wel, maar dof en veel zachter. Het geluid gaat bij mij vandaan; het klinkt als 'in de verte'.

Vanmorgen moet ik orgel spelen, maar het is de vraag of dat nu nog kan. Uiteindelijk besluiten we toch te gaan. Ik test mijn oren bij het orgel en besluit wel de dienst te begeleiden. Hinne, de dominee, komt nog even boven bij het orgel. Ik licht hem in over mijn situatie. Ik wil niet dat mijn ouders, die ook in deze kerk komen, het voor de dienst weten. We spreken af dat als het niet gaat ik dat zal aangeven. Het intochtslied wordt afgekondigd. Ik begin. Het gaat goed. Wanneer ik speel kom ik automatisch bij mijn gevoel en ik schiet vol. De tranen rollen over mijn wangen. Hans kijkt mij aan. Ik zie liefde en bezorgdheid in zijn ogen. De dienst gaat verder. Mijn gehoor wordt steeds minder en ik kan Hinne niet meer verstaan. Hans geeft nu aan wanneer ik kan beginnen met het inzetten van een nieuw lied. Ik speel, maar ben er met mijn hart niet meer bij. Er spookt van alles door mijn hoofd: straks de dokter even bellen, o nee, ik kan natuurlijk niet zelf bellen ... Hoe lang zal dit weer gaan duren? Komt het deze keer ook weer goed? Kan ik ooit weer orgel spelen? Nu niet gelijk aan het ergste denken. Ik moet mij morgen maar ziek melden. En hoe moet het nu met mijn nieuwe opleiding?

Ik weet dat het gehoor uiteindelijk helemaal zal verdwijnen. Dit is immers niet de eerste keer.

De dienst is afgelopen. Mijn gehoor is nu zo slecht dat ik nog wel wat kan horen, maar niets meer kan verstaan. Ik zie mijn ouders en vertel hen dat het weer helemaal mis is met mijn oren. Zij reageren, maar ik versta ze niet. We zoeken naar een pen en papier.

Mijn moeder gaat met mijn zus voor tien dagen naar Maleisië en vertrekt vanmiddag. Mijn zus is stewardess. Mijn moeder schrijft dat zij liever thuis blijft. Ik vind dat zij wel moet gaan, want ze kan hier nu toch niets voor mij doen. Bovendien is het voor mijn zus fijn dat mijn moeder meegaat. Dan is zij niet alleen en kan zij met mijn moeder de zorgen om mij delen. Maar tien dagen zijn wel lang. Het is tegen twaalven wanneer mijn gehoor helemaal weg is. Bij de dokterswacht wordt besloten tot een vijfdaagse prednisonkuur. We zullen nu net als de andere keren – afwachten – en dat is niet mijn sterkste punt. Ik doe liever wat.

Gelukkig hebben we in deze tijd meerdere mogelijkheden om contact met elkaar te maken. Ik breng de mensen om mij heen op de hoogte van mijn situatie via de e-mail. Ik besluit dat ik hen op de hoogte zal blijven houden, zolang deze situatie duurt. Het is vreemd en raar door mijn huis te lopen en niets te horen.

Een dag eerder, zaterdagmorgen, 4 oktober 2008 - e-mailbericht:

'Hoi Arie,

Ik wil graag iets met jou delen. Het is voor mij lastig het orgelrooster voor volgend jaar in te vullen omdat mijn gehoor de laatste tijd steeds iets minder wordt en schommelt. Daarnaast heb ik veel last van tinnitus (oorsuizen). In de afgelopen weken, maanden, heb ik een paar keer met het orgel spelen momenten gehad dat ik niet meer kon horen wat ik deed. Dat was ronduit vreselijk. Huilend zat ik achter het orgel. Ik kon foutjes niet meer op mijn gehoor corrigeren. Ik wil het begeleiden van de diensten nog niet opgeven, maar ik ben er in mijn hoofd en hart wel mee bezig dat dit moment zal komen. Met mijzelf heb ik afgesproken dat ik ga stoppen met het begeleiden van gemeente- en koorzang wanneer ik het niet meer goed kan horen. Ik kan er bijna niet over nadenken omdat ik dat zo erg vind. Zolang het mogelijk is wil ik blijven lessen, maar dat is iets totaal anders dan begeleiden. Gelukkig voel ik dat ik veerkracht heb en heeft Hans brede schouders, dus uiteindelijk komt het vast allemaal goed. Op dit moment is het alleen maar verdrietig. Ik moet steeds meer inleveren. Ik kan er nog veel meer over zeggen maar daar komt vast wel een goed moment voor. Ik denk dat wanneer wij nu mensen kunnen vinden die af en toe, of misschien zelfs met een bepaalde regelmaat, diensten kunnen begeleiden, we dat moeten stimuleren. Misschien kunnen we over een paar maanden, wanneer ik zelf wat verder ben in dit proces, er eens over praten. Lieve groeten, Elske.'

Opvallend dat ik dit de dag ervoor geschreven heb. Achteraf was het alsof ik het voelde aankomen, een soort intuïtief weten.

Het is raar thuis te zijn, niets te horen, maar mij niet ziek te voelen. Mijn moeder en zus zijn naar Maleisië afgereisd en mijn vader heeft regelmatig contact met ze. Door deze situatie heb ik plotseling veel meer contact met mijn vader. Eerder lag mijn focus met emotionele dingen toch op mijn moeder. Het is goed en fijn zo met mijn vader. We eten een paar keer bij elkaar deze dagen. We wandelen samen een stuk met de hond. Dan hoeven wij niet zo veel te praten en zijn we wel gezellig samen.

Op 'e nij skonk God ús in soun famke en suske.
Wy neame har Elske.
Ljouwert, 1 maaie 1973

(Vertaling: Opnieuw schonk God ons een gezond meisje en zusje.
Wij noemen haar Elske.
Leeuwarden, 1 mei 1973)

Zo begon mijn leven hier op aarde. Als tweede kind van mijn ouders, Teake en Ettje en zusje van Hendrika die twee jaar en twee weken ouder was. Ik werd geboren midden in de stad Leeuwarden en groeide daar ook op. Ik was een gewenst en geliefd kind. Als baby huilde ik vaak, vertelde mijn moeder. Ik was geen goede drinker. Daardoor werd ik regelmatig huilend wakker omdat ik honger had. Mijn moeder vertelde dat ik vroeger een 'koesdoekje' had. Een vierkant doekje van de HEMA met een roze randje eromheen. Dat hield ik dan op een specifieke manier vast met de duim in mijn mond. Ik en mijn koesdoek waren onafscheidelijk. Wanneer mijn moeder met mij in de stad was en ik verloor mijn koesdoek, dan ging ze snel naar de HEMA om een nieuw doekje, want anders was ik ontroostbaar. Als er dan alleen doekjes waren met blauwe randjes en niet met roze, dan zette ik het op een brullen. Ik was een zorgenkind, want ik had de nodige 'mankementen'. Ik had steunzolen, een beugel, wratten, kaakproblemen, voedselallergie, groeistoornis, ernstige gehoorproblemen, onverklaarbare evenwichtstoornissen en schildklierproblemen. Een mooi rijtje, waar mijn ouders en met name mijn moeder haar handen vol aan had.

Wij woonden dichtbij de binnenstad. Het was een straat waar mensen bij elkaar binnen liepen. Als het ware een dorpje in de stad. Dit bracht gezelligheid met zich mee. Mijn ouders werkten allebei. Ook hadden wij kostgangers in huis. Dat waren vaak studenten die van de eilanden kwamen en in Leeuwarden studeerden. Dat bracht veel leven in de brouwerij. Mijn vader werkte overdag en mijn moeder in de avonduren. Mijn vader werkte fulltime bij de Friesland Bank, mijn moeder bij de PTT. Zij werkte de ene week twee en de andere week drie avonden.

Nu we zo'n tien dagen verder zijn is de wereld gaan tollen. Mijn evenwichtsorgaan is in de war. Dit had ik wel verwacht, maar niet dat het zo heftig zou zijn. Ik kan niet normaal lopen. Als ik mijn hoofd beweeg, tolt alles. Ik ben misselijk en voel mij beroerd. Door eerdere ervaringen met acute doofheid weet ik dat dit een kwestie is van tijd. Dus is het nu zaak deze dagen goed door te komen. Mijn moeder en zus zijn weer terug van weggeweest. Zij hebben een leuke en goede tijd gehad samen.

Ik probeer zoveel mogelijk te slapen. Mijn bank is nu ook mijn bed geworden want het is niet veilig de trap op te gaan. Om beurten zijn Hans, mijn vader en mijn zus een nacht bij mij. Het overgeven wil maar niet stoppen, terwijl ik niets meer heb om over te geven. Ik ben nu niet bezig met het feit dat ik doof ben, maar probeer de uren en dagen goed door te komen. Ik wacht op het moment dat het evenwicht zich weer gaat herstellen en de draaierigheid, misselijkheid en het overgeven voorbij is.

Plotsdoofheid

Bij ongeveer een derde van de mensen die plotsdoof worden treden er problemen op met het evenwichtsorgaan. De een heeft een 'licht' gevoel in zijn hoofd en de ander voelt zich onzeker op zijn voeten en weer een ander heeft last van draaiduizeligheid. Bij mij is er sprake van draaiduizeligheid. Het evenwichtsorgaan kan zich dan niet snel genoeg aanpassen aan de bewegingen die je maakt. Daardoor krijg je het idee dat de wereld beweegt terwijl dat niet zo is en daar kun je vervolgens misselijk door worden.

Wanneer je doof wordt, verandert ook je stem. Je spreekt met weinig of geen nuances omdat je deze niet meer kunt horen. De kleur van mijn stem veranderde in een monotone, vlakke stem.

De werking van het oor

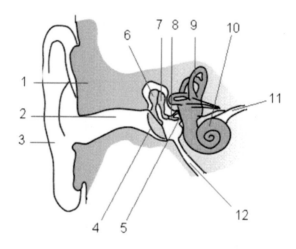

1 schedel, 2 gehoorgang, 3 oorschelp, 4 trommelvlies, 5 ovaal venster, 6 hamer, 7 aambeeld, 8 stijgbeugel, 9 labyrint, 10 slakkenhuis (cochlea), 11 gehoorzenuw, 12 buis van Eustachius

Geluid is trilling van de lucht. Het geluid komt via de oorschelp in de gehoorgang en doet het trommelvlies trillen. Het geluid is nu in het middenoor waar de hamer, gekoppeld aan het trommelvlies, via aambeeld en stijgbeugel ervoor zorgen dat de trillingen goed in het binnenoor terechtkomen. In je middenoor zit een slijmachtige substantie die ervoor zorgt dat botjes en spiertjes goed werken. Voor de afvoer van dat slijm is er de buis van Eustachius; een buisje wat van het middenoor naar je keel loopt. De belangrijkste functie van deze buis is zorgen dat de druk in het middenoor gelijk is aan de buitendruk. Anders kan het trommelvlies niet goed trillen. Ieder kent wel de ervaring dat je bij snel stijgen of dalen in de bergen slechter gaat horen en druk op het oor voelt. Even slikken en de buis van Eustachius doet zijn werk. Na de stijgbeugel kom je in het binnenoor terecht. Dat bestaat uit twee delen: het evenwichtsorgaan en het slakkenhuis (cochlea). Het 'begin' van het slakkenhuis is een ovaal vlies, vandaar de naam het ovale venster. Aan dit vlies zit de stijgbeugel vast. In het slakkenhuis zit een vloeistof die bij geluid door dat ovale venster in beweging wordt gebracht. Die beweging zorgt ervoor dat 'trilhaartjes' op bepaalde cellen heen en weer gaan bewegen en dat geeft elektrische stroompjes. Die stroompjes worden doorgegeven naar de gehoorzenuw en deze zenuw vervoert ze naar de hersenen. Vervolgens 'bakken' de hersenen op basis van onze ervaringen, herinneringen, de auditieve database in ons hoofd en de signaaltjes die nu binnenkomen een hopelijk relevante weerspiegeling van wat er buiten aan geluid aan de hand is.

Twee vormen van slechthorendheid

Er zijn twee vormen van slechthorendheid. Problemen in het middenoor en problemen in het binnenoor. In het middenoor zitten de gehoorsbeentjes: hamer, aambeeld en stijgbeugel. Aan middenoorslechthorendheid is operatief vaak nog wel wat te verbeteren of zelfs op te lossen. De geluiden zijn bij middenoorslechthorendheid vaak te zacht, maar wel goed van klank. Bij binnenoorslechthorendheid liggen de problemen in het slakkenhuis. Het geluid is vaak te zacht maar ook vervormd. Dat maakt dat het luider praten bij deze vorm van slechthorendheid de vervorming doet toenemen en daarmee

het verstaan nog moeilijker maakt. Aan binnenoorslechthorendheid valt operatief niets te doen.

Men spreekt van slechthorendheid wanneer je een gehoorverlies hebt van meer dan 20 dB (= decibel) De mate van
slechthorendheid wordt in Nederland onderverdeeld in:
0 tot 20 dB verlies: goedhorend
20 tot 35 dB verlies: licht slechthorend
35 tot 70 dB verlies: gemiddeld slechthorend
70 tot 90 dB verlies: ernstig tot zwaar slechthorend
vanaf 90 dB verlies: doof

Slechthorendheid kan met een hoortoestel wel enigszins ge-
compenseerd worden, maar een slechthorende zal zelfs met
een hoortoestel nooit zo goed kunnen horen als een persoon
zonder enige gehoorbeperking. Bij ernstige slechthorendheid kan een cochleair implantaat een uitkomst zijn.
(bron: Wikipedia)

*Op driejarige leeftijd ben ik bijna verdronken. Een vriend van mijn
vader had een boot. Hij nodigde mijn vader, mijn zus en mij uit om
met hem en zijn zoontje Jan een dag te gaan varen. Mijn moeder
was op dat moment in Canada op bezoek bij haar broer. Jan duwde
mij in het water. Gelukkig zag zijn vader dat. Hij sprong achter het
roer vandaan het water in om mij eruit te vissen. Aanvankelijk leek
het allemaal goed te gaan, maar al snel bleek dat deze situatie tot
gevolg had dat ik als de dood was voor water. Ik wilde niet douchen
en wanneer ik bij mijn moeder achterop zat en we over de brug fietsten klampte ik me aan haar vast en riep ik: "We gean d'r net yn,
no mem!" (vert.: "We gaan er niet in, hè mam!") Mijn vader heeft
elke zaterdag, jaar in jaar uit, met mijn zus en mij gezwommen.
Spelenderwijs en met engelengeduld heeft hij mij geholpen me weer
vertrouwd te voelen in en rond het water.*

Na vier dagen is de misselijkheid iets afgezakt. Ik lig boven op bed, voor het eerst weer. Ik heb tegen Hans gezegd dat het echt wel gaat en dat ik hier prima alleen kan slapen. Alles wat ik nodig heb ligt binnen handbereik. Ik zweer bij mijn bed. Dat is het fijnste bed van het noordelijk halfrond. Gekocht bij koopcentrum Frits. Ik denk elke avond even aan Hans en ook aan Frits. Na een paar uren word ik wakker en het is weer helemaal mis. Zó beroerd en akelig. Ik besluit een sms'je naar Hans te sturen om aan te geven dat ik het hier niet trek alleen. Wat stom dat we geen berichtje voorgeprogrammeerd hebben. Met de wereld die tolt en een beeld dat ik niet stil kan krijgen, probeer ik een sms'je in te toetsen. Hans laat mij weten dat mijn vader komt. Mijn vader belt de dokterswacht. Ik krijg sterkere medicatie tegen misselijkheid. Eindelijk kan ik weer een paar uren achter elkaar slapen.

Ik was als kind als de dood voor prikken, dokters en tandartsen en ik verzette mij dan ook heftig met alle gevolgen van dien. Ik schopte tandartsen en sloeg GGD-verpleegkundigen de spuiten uit hun hand. Bij de kapper zette ik het op een krijsen en na afloop van de knipbeurt zaten mijn moeder, de kapper en ik van top tot teen onder het haar.

Wanneer mijn moeder mij probeerde voor te bereiden op een doktersbezoek, liet ik mij op mijn knieën vallen en kreeg zij mij met geen mogelijkheid achter op de fiets. Dramatische taferelen. Achteraf begrijpelijk denk ik. Volwassenen waren ook niet betrouwbaar in mijn beleving. Dit kwam doordat ik door mijn slechthorendheid veel informatie miste en dingen voor mijn gevoel zomaar uit de lucht kwamen vallen. Mijn moeder bereidde mij vervolgens niet meer voor op waar we heen gingen. Ze zei in plaats daarvan: we gaan even een boodschapje doen in de stad. Dan fietsten we naar de GGD of naar de tandarts. Dus de tweede keer dat zij dat zei, vertrouwde ik haar niet meer. Later, in mijn tienerjaren, toen er nog steeds gezondheids-

zorgen waren en ik met moeder naar de arts moest, heb ik met mijn moeder gelukkig ook vele genoeglijke uren gehad. Het heeft ons dicht bij elkaar gebracht.

Hans, mijn ouders, twee vriendinnen en ik, hebben in de afgelopen paar jaren twee cursussen gevolgd om Nederlands met ondersteunende gebaren (NmG) te leren. Nu is het dan zover dat we die gebaren noodzakelijkerwijs moeten gebruiken. Dat valt niet mee. Het spreektempo loopt niet synchroon met het gebarentempo. Voor praktische en een-voudige boodschappen geeft het een prima ondersteuning. Voor een gesprek over gevoelens, emoties of iets wat anders is dan huis-tuin-en-keukenpraatjes schieten onze gebaren te-kort.

Hans en ik msn'en nu veel. Ik kan dan 'gewoon' praten en Hans typt. We kunnen elkaar dan zien. Dat is een mooie vervanging voor de telefoon. Ook mijn vader is met mij aan het msn'en. Mijn moeder heeft een mobieltje gekocht en wij sms'en elkaar. Ik realiseer me goed dat ik het geluk heb in deze tijd doof te zijn, met alle mogelijkheden tot communi-catie om mij heen. Dat helpt en maakt het tot een minder eenzaam proces.

Rond vijf uur 's middags hadden mijn ouders de wisseling van de wacht. Vaak at mijn moeder als ze thuiskwam van haar werk. Mijn vader bracht ons naar bed. Wij vonden het geweldig dat, als hij de slaapkamer binnenkwam, wij onder de dekens lagen en dat hij dan net deed of hij ons niet kon zien. Dan zei hij, altijd met een gekke hoge stem: "Wêr binne dy famkes toch? Ik begryp d'r neat fan." (vert.: "Waar zijn die meisjes toch? Ik begrijp er helemaal niets van.") Vervolgens zei hij: "Wat in frjemde bult op it bêd" (vert.: "Wat een vreemde bult op het bed.") En dan gierden Hendrika en ik het uit. Elke avond weer. Daarna zong hij met ons een lied, vertelde een verhaal uit de bijbel of deed een gek gedicht, hij zei een gebed met ons op en dan gingen we slapen. Ik ben altijd een onrustige slaper geweest en ik ging vaak met tegenzin naar bed. Ik schreeuwde regelmatig in mijn slaap of bonkte op de muren. Het gebeurde weleens dat ik wakker werd, naar beneden ging en dat er niemand was. Dan waren mijn ouders bijvoorbeeld een borrel gaan drinken bij de buren. Ik was dan in paniek. Waarschijnlijk hadden zij wel gezegd dat zij 's avonds nog even naar de buren zouden gaan, maar had ik dat niet meegekregen. Ik werd 's nachts regelmatig wakker als ik naar de wc moest. De wc was beneden. Dan moest ik over de overloop, de trap af en door de keuken naar de bijkeuken. Dat durfde ik niet.

Hoofdstuk 2

Het is eind oktober. Ik ben nog steeds doof en ik heb het er moeilijk mee. Er zijn drie dove weken voorbij gegaan. De prednison heeft blijkbaar niet geholpen. We zijn weer bij de kno-arts geweest. Hij heeft voor mij een afspraak gemaakt met een arts in het Radboudziekenhuis in Nijmegen. Daar zit een specialist die alles weet van het syndroom dat ik heb, het syndroom van Pendred.

Syndroom van Pendred
Het syndroom van Pendred is een weinig voorkomende, genetisch bepaalde vorm van gehoorverlies. Kenmerken zijn een ernstig tot zeer ernstig gehoorverlies en schildklierproblemen. Het gehoorverlies is aangeboren en zal dus vroeg ontdekt worden. De slechthorendheid of doofheid gaat in de meeste gevallen gepaard met een vergroot vestibulair aquaduct (uitleg in de volgende alinea). De schildklierproblemen ontwikkelen zich in 40% van de gevallen in de vroege puberteit en voor het overige tijdens de volwassenheid. Er is naar schatting in 5% van de gevallen van aangeboren doofheid sprake van het syndroom van Pendred.

Vestibulair aquaduct is goed Nederlands voor aqaeductus vestibuli.
De aqaeductus vestibuli is een nauw kanaal dat de verbinding vormt tussen het binnenoor en de hersenholte. In deze verbinding zitten meerdere kanaaltjes en ruimtes met romantische namen die we voor het gemak even vergeten. De hersenen 'zwemmen' in de hersenholte in een waterige vloeistof waarmee ook het binnenoor en de evenwichtsor-

ganen gevuld zijn. Wanneer dit vestibulair aquaduct wijder is dan 1.5 mm ontstaat het 'Enlarged Vestibular Aqueduct Syndrome' (EVAS).

Het wordt gekenmerkt door een gehoorverlies dat al bij de geboorte aanwezig kan zijn, maar zich ook later kan ontwikkelen. Het gehoorverlies heeft een wisselend karakter en neemt toe bij sterke lichamelijke inspanning en een plotseling veranderende luchtdruk. Contactsporten en – zelfs kleine – hoofdtrauma's kunnen het gehoor verder aantasten en soms is er sprake van plotsdoofheid. In het algemeen is de prognose voor wat betreft het gehoor slecht.

Het lijkt erop dat EVAS een gevolg is van het wegvallen van de bufferwerking van het vestibulair aquaduct. Plotselinge drukveranderingen in de vloeistof worden niet langer 'opgevangen' door een nauw vestibulair aquaduct, maar onverzwakt doorgegeven naar de cochlea (slakkenhuis). Dit heeft beschadigingen tot gevolg. De beste methode om de afwijkende afmetingen van het vestibulair aquaduct zichtbaar te maken is MRI. De afwijking is niet operatief te herstellen (het maakt het alleen maar erger). In sommige gevallen is cochleaire implantatie zinvol gebleken.

MRI is Magnetic Resonance Imaging. Het werkt niet met (schadelijke) röntgenstralen maar met magnetisme en radiogolven. MRI levert contrastrijk beeldmateriaal met doorsneden van het onderzochte lichaamsdeel. Hiervan kunnen zeer gedetailleerde driedimensionale reconstructies van organen en weefsel worden gemaakt.

De schoolarts ontdekte dat ik slechthorend was toen ik zeven jaar was. Dit was rijkelijk laat, maar het bleek dat ik een 'meester' was in liplezen en daardoor kon ik, zo goed en kwaad als het ging, het toch redelijk goed volgen. Mijn moeder vertelde dat wanneer ik bij haar op schoot zat, ik haar kin vastpakte en naar mij toedraaide. Zo leer je als kind liplezen. Toch hadden mijn ouders er geen idee van dat ik niet goed kon horen. Zij hadden die link niet gelegd. In gesprekken die ik onlangs met hen had, spraken we over hoe onbewust zij met mijn slechthorendheid om gingen destijds. Ze hadden zich er niet zo in verdiept. Ja, Elske hoort niet goed, dus praten wij wat luider. Dat het daarmee niet opgelost was bleek later. Verder wisten ze alleen datgene wat het Audiologisch Centrum (AC) hun erover vertelde. Ik heb mij daar later over verbaasd. Ik denk dat ik alles had willen weten over slechthorendheid. Dat ik uren in de bibliotheek zou zitten om boeken te zoeken daarover. Mijn ouders waren jong en hadden geen idee welke consequenties slechthorendheid met zich meebracht.

Afgelopen september, dus nog maar kort geleden, hebben we in het Radboudziekenhuis gesproken met een arts die cochleaire implantaatoperaties doet. Hans en ik hebben vaak gesproken over een cochleair implantaat (CI) en de rust die een implantaat zou kunnen brengen in mijn stressvolle leven met een schommelend gehoor. Ik had bedacht dat ik toen wel een CI zou willen hebben in mijn linkeroor. Dat oor is immers toch al doof en daar heb ik niets op te verliezen. Die arts deelde mijn enthousiasme over dat idee niet. Het gehoor van mijn rechteroor was nog veel te goed en zou een belemmering vormen voor de revalidatie van het implantaat in het linkeroor. Volgende week, een dikke maand na dit gesprek, in een geheel gewijzigde situatie, gaan we opnieuw met hem in gesprek over een CI.

Wat is een CI?
Een cochleair implantaat of CI zet geluid om in elektrische pulsen die de gehoorzenuw direct stimuleren. Hierdoor neemt het de functie van buiten-, midden- en binnenoor inclusief de trilhaartjes in het slakkenhuis over. Met een CI

kunnen mensen die geen of nog maar een beperkt gehoor hebben, klanken, geluiden en spraak gedeeltelijk waarnemen. De eerste experimenten met directe stimulatie van de gehoorzenuw werden gedaan in 1957 door Djourno, een ingenieur, en Eyriès, een kno-arts. Zij opereerden een patiënt die totaal doof was geworden. Er werd een eenkanaals implantaat gebruikt dat ze zelf hadden gemaakt. De patiënt gaf aan dat hij geluiden hoorde wanneer stroom door de elektroden werd gestuurd. Spraak verstaan was onmogelijk. Dit eerste implantaat hield het snel voor gezien en de patiënt kreeg een nieuw implantaat, dat meer uithoudingsvermogen bleek te hebben. Na veel oefenen kon hij met dit nieuwe implantaat verschillende geluiden interpreteren en had hij duidelijk ondersteuning voor spraakafzien.

In de jaren zeventig van de twintigste eeuw ontwikkelde men in Melbourne een versie van een CI dat het slakkenhuis op meerdere plaatsen stimuleert. Op 1 augustus 1978 werd het eerste implantaat van dit type ingebracht.

Daarna gingen de ontwikkelingen snel en de tot nu toe jongste geïmplanteerde mens was een baby van drie maanden oud. De technologie van het CI en de nazorg verbeteren steeds meer. Dit vertaalt zich in betere resultaten, zo blijkt uit diverse onderzoeken onder CI-gebruikers. Er zijn momenteel ruim 2800 CI-gebruikers in Nederland.

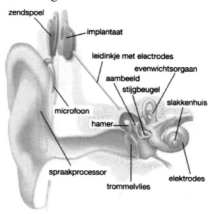

Bron: Wikipedia

Onderdelen van een CI

Uitwendig wordt een spraakprocessor achter het oor gedragen die door middel van een zendspoel door de huid heen verbinding maakt met het implantaat. Aan het implantaat zit een leidinkje waar de elektrodes doorheen lopen die in het slakkenhuis zijn geschoven. Een microfoon die de geluiden opvangt maakt deel uit van de spraakprocessorbehuizing. De spraakprocessor is met een dun kabeltje verbonden met de zendspoel. De spraakprocessor is een microcomputer die het geluidssignaal omzet in elektrische signalen.

Een CI werkt heel anders dan het bekende hoortoestel. Een hoortoestel versterkt het geluid afhankelijk van het gehoorverlies en maakt gebruik van het slechthorende oor.
Het CI passeert alle 'onderdelen' van het hoorsysteem. Bij een CI wordt het geluid opgevangen door de microfoon en verwerkt in de spraakprocessor waarna dit elektrische signaal met de zendspoel naar het implantaat wordt gezonden dat via de elektrodes in het slakkenhuis de vezels van de gehoorzenuw rechtstreeks prikkelt.

Risico's die een CI-operatie met zich meebrengt zijn:

- de 'normale' risico's die met de narcose te maken hebben
- risico's op infectie of ontsteking van de wond
- tijdelijke beschadiging van de aangezichtszenuw
- oorsuizen
- tijdelijke uitval van de smaak
- evenwichtsstoornissen

Vandaag heb ik mijn kerstboom opgezet. Daar heb ik zo naar uitgekeken. Ik dacht: zodra de klok een uur achteruitgezet moet worden, zet ik mijn kerstboom op. Ik kan niet genoeg aan warmte en lichtjes om me heen verzamelen. Boeken zorgen ervoor dat ik even kan ontsnappen aan mijn eigen werkelijkheid. Het is een heerlijk tijdverdrijf. Daarnaast ben ik bezig met mijn opleiding haptotherapie en dat geeft mij het gevoel dat ik iets zinvols en nuttigs doe. Ik kijk wel televisie, maar films kijken zonder geluid is raar en niet leuk. Het is mij ineens duidelijk welke rol muziek speelt in films. Een spannende film zonder geluid vind ik veel minder spannend. Ik loop elke dag een stukje. Dan ga ik even naar de winkelstraat om de hoek, zo'n vierhonderd meter verderop. Voor mijn gevoel 'waggel' ik dan naar de winkel. Alsof ik stomdronken ben.

Ik krijg veel post. Dat is zo heerlijk! Het doet me erg goed. Dat brengt de buitenwereld binnen en daar snak ik naar. De post is een hoogtepunt van mijn dag. Leuke en lieve briefjes, kaarten en e-mails. Er zitten soms berichten bij waar ik alleen maar verbaasd over ben en waar ik werkelijk niets mee kan. Zo kreeg ik de volgende e-mail: 'Wij vinden het heel jammer dat je nu weer je gehoor kwijt bent. En hopen en bidden dat het deze keer wéér tijdelijk zal zijn. Dat de Here God het je weer teruggeeft, soms word je even stilgezet (Voor jou wel heel letterlijk) opdat Hij tot je kan spreken.' Het is voor mij onbegrijpelijk dat iemand die in God gelooft daar zo vorm en inhoud aan durft te geven. Anderen maken heerlijke bloopers door te schrijven: 'wij bellen elkaar weer' of 'je mag me altijd bellen zelfs al is het midden in de nacht'. Ik lees in de kaartjes dat mensen het idee hebben dat het stil is wanneer je doof bent. Bij mij is dat niet zo. Ik geloof dat ik nog nooit zo veel herrie in mijn hoofd heb gehad. Het is een rare gewaarwording al dat lawaai in mijn hoofd terwijl ik stokdoof ben. De geluiden die ik hoor zijn: sirenes, kloppen, boren, timmeren, suizen, stormen, vuurwerk in combinatie met opera of het Nederlandse lied, klassiek FM of simpelweg continu hetzelfde liedje als bijvoorbeeld 'Ere zij God', wat al dagen in mijn hoofd zit. Onvoorstelbaar. Dat komt natuurlijk door die kerstboom! Het is dus nooit stil in mijn hoofd. Aan de ene kant denk ik: er zit dan toch nog wel leven of beweging in, en dat voelt wel prettig. Aan de andere kant is het moeilijk om met deze herrie in slaap te vallen.

Wanneer er geen oogcontact was, was er géén contact. En als er wel oogcontact was, was het ook nog lastig om alles goed te verstaan. Ik herinner mij situaties van de kleuterschool. Dat een ander kind iets aan mij vroeg en ik daarop antwoord gaf. Vervolgens keek die ander mij vragend, verbaasd of vreemd aan en liep weg. Blijkbaar had ik het niet goed verstaan wat hij zei en sloeg mijn reactie nergens op. Kleine kinderen zijn duidelijk: jij doet raar, dus wil ik niet met jou spelen. Ik begreep er niets van want ik wist toen nog niet dat ik niet goed kon horen. Ook herinner ik mij dat ik ineens door de juf hardhandig op mijn stoel werd gezet. Achteraf blijkbaar allemaal situaties waarin ik geen signaal had gehoord of dit signaal niet goed had geïnterpreteerd. Het maakte mij als kind onzeker. Ik begreep niet waarom mensen zo raar en soms zo naar tegen mij deden. De eerste jaren van mijn leven stonden niet bol van positieve ervaringen als het ging om het ervaren van veiligheid. Ik begreep niets van de wereld om me heen.

Ik vraag mij af of dit nog goed komt. Of mijn gehoor nog terugkomt. Ik maak mij zorgen. Het valt me zwaar om altijd de zorg te hebben over zoiets elementairs als mijn gehoor. Daar valt en staat zo veel mee. Ik kan niet normaal met mensen praten, kan mijn werk niet uitvoeren, kan niet bellen en ik kan niet orgel spelen.

Ik mis de stemmen van mensen. In mijn hoofd hoor ik de stemmen nog wel goed. Dat maakt het verwarrend want soms denk ik: ik hoor Hans! Dan vraag ik hem wat in mijn oor te zeggen zonder dat ik hem kan zien en dan hoor ik niets en voel ik alleen de lucht in mijn oor. Ik ben bang om stemmen van mensen te vergeten. In een eerdere ervaring met plotsdoofheid in 1994 vergat ik na drie à vier weken de stemmen en wist ik dat wat ik in mijn hoofd had, niet klopte met de werkelijkheid. Ik kon het niet meer terughalen. Dat voelt alsof degene die bij die stem hoort een stukje 'dood is gegaan'. Daar zie ik tegenop en ik hoop van harte dat het zover niet hoeft te komen. Wanneer ik een implantaat krijg, zal ik afscheid moeten nemen van geluiden die mij vertrouwd en eigen zijn. Het vraagt zo veel van mijzelf om mij elke keer weer in te stellen op een onzeker gehoor. Dat is een voortdurend proces in mijn leven geweest tot nu toe, waar ik heel moe van ben. Wanneer mijn gehoor veranderde of wanneer ik een nieuw hoorapparaat kreeg, dan moest ik de wereld opnieuw verkennen, de wereld van het geluid. Alle geluiden me weer eigen maken, zodat ik mij weer veilig voelde op straat, in mijn huis, overal. Wanneer ik plotsdoof was en mijn gehoor weer terugkreeg, klonk het toch vaak allemaal weer anders en begon het proces opnieuw.

Ik snak zo naar rust op dat vlak, maar voorlopig is dat er nog niet. Twee jaar geleden ongeveer heb ik een zielsbesluit genomen dat ik moeilijke dingen nooit meer alleen ga doen, ook al moet ik het zelf doen. Ik kan mijzelf eenzaam en alleen maken met mijn problemen en ik kan ook zoeken naar manieren waarop ik stukken kan delen met anderen. Ik kan bij wijze van spreken alleen naar de dokter gaan, maar ik kan ook iemand meevragen. Gedeelde smart is écht halve smart, ook al blijft het smart. Delen is de sleutel.

Liplezen is iets wat je automatisch leert. Je zoekt naar waar het geluid vandaan komt en kijkt ernaar. Ik was aan het liplezen zonder dat ik mij daarvan bewust was. Over liplezen las ik het volgende: 'Het aanleren van spraakafzien is bijzonder moeilijk. Men mag aannemen dat een dove niet meer dan 25% van de lippen van een spreker kan afzien, als het een niet al te gecompliceerd gesprek is. De rest moet hij raden, hij moet als het ware de stukken van de legpuzzel die ontbreken, zelf invullen. Daarvoor heeft hij een uitgebreide woordenschat, goede kennis van de grammatica en algemene kennis van het gespreksonderwerp nodig. En dit is nu juist wat de dove vaak ontbreekt: door zijn communicatiestoornis heeft hij al die stukjes en brokjes kennis, die een horend kind spelenderwijs oppikt, niet tot zijn beschikking.' Citaat uit: 'Doofheid', auteurs: Prof. R.Th.R. Wentges en David Wright.

Later las ik in een ander boek ('De taal van de stilte', geschreven door F. Itani) over de verwarring van liplezen. Dat bepaalde letters eenzelfde mondbeeld geven. Zij schrijft: 'Als je vriend 'peer' zegt en jij denkt dat het 'beer' is of 'meer', dan heb je het helemaal goed, want je hebt de juiste bewegingen gezien.' Dat raakte mij toen ik dat las omdat het nare gevoel van niet goed kunnen horen en verstaan diep geworteld was. Dit was een liefdevolle benadering. Wanneer je in de spiegel zegt: 'beer, peer, meer' zul je zien dat het er hetzelfde uitziet. Dus logisch dat dit tot vergissingen kan leiden.

Slechthorendheid en spraak

Het is belangrijk dat goedhorenden zich realiseren dat doofheid of slechthorendheid een bepaalde manier van praten met zich meebrengt. De zwaar slechthorende kan vaak zijn eigen stem niet goed horen. Het volume is daarom soms niet aangepast en klanken worden soms fonetisch anders geuit. Een gevolg hiervan is dat de goedhorende mens het stemgebruik van de slechthorende kan associëren met een achtergebleven ontwikkeling van de rest van het lichaam, waaronder de hersenen. Aan de hersenen mankeert niets en aan de rest ook niet, maar dat is vaak een groot misverstand.

Samen met Hans ga ik naar Nijmegen. We hebben een gesprek met dokter Mulder. Een aardige en rustige man. Hij is erg duidelijk: hoe langer het gehoor weg blijft, hoe kleiner de kans is dat het terug komt. We praten over de mogelijkheid voor mij tot een CI-operatie en aan het eind van dit gesprek meld ik mij daarvoor aan. Het is normaal gesproken een lang traject met veel onderzoeken, maar omdat ik al in Nijmegen was voor het syndroom van Pendred, zijn er al veel medische gegevens bij hen bekend. Dat versnelt de procedure. Een evenwichtsonderzoek moet aantonen op welk oor het beste geïmplanteerd kan worden. Ik krijg informatie mee over het traject naar de operatie toe. Ik heb het gevoel dat er weer een sprankje licht gloort aan de horizon. Tegelijkertijd vind ik het erg spannend. Ik wil natuurlijk niets liever dan 'natuurlijk' geluid horen en aan de andere kant voel ik hoezeer de onzekerheid van mijn gehoor en de angst die dat met zich meebrengt, op mij drukt. Een CI is ingericht op spraak verstaan en niet zozeer op muziek. De muziekbeleving met een CI is vaak bedroevend. Uitzonderingen daargelaten. Een leven zonder orgel spelen kan ik mij nog niet voorstellen. Ik mis het zo. Daar kan ik alleen maar om huilen op dit moment. Emmers vol tranen ...

Hendrika en ik sliepen de eerste jaren samen in een slaapkamer. Later kregen we elk een eigen kamer. In die van mij zat geen deur. Dat vond ik niet prettig. Eerst kwam er een harmonicadeur in en later een gordijn. Er kon geen gewone deur in omdat de deur naar de verkeerde kant openging en dan botste met een andere deur. Ik had geen privacy en het voelde niet als een plekje voor mijzelf. Anderen konden zomaar in mijn kamer komen, zonder dat ik ze hoorde. Wat ik ook vervelend vond was dat zij konden horen wat ik in mijn kamer deed. Op de overloop brandde altijd licht. Ik was bang in het donker. Dat dit ook met mijn slechthorendheid te maken had, dat hadden mijn ouders niet zo in de gaten. Ik hoorde per definitie slecht en wanneer het donker was zag ik ook nog eens niets. Dat was een slechte combinatie. Nog steeds vind ik het vervelend wanneer de dagen korter worden en ik 's avonds de deur uit moet. Het verkeer voelt dan zeer onveilig, dus ik moet erg alert zijn.

Elke zondag gingen wij naar de kerk. Het enige wat ik daar boeiend vond was het kerkorgel. Ik verstond het meeste niet van wat er gezegd werd. Urenlang kon ik daar fantaseren over later als ik groot ben ... spelen op een groot mooi orgel.

Elke ochtend heb ik weer het hart in de keel bij het indoen van mijn hoorapparaat. Dan komt het moment waarop ik het toestel op 'aan' zet – pfff ... en dan de opluchting dat het gehoor er ook die dag weer is. Of juist niet, zoals afgelopen 5 oktober toen ik dacht: o nee, nee, nee, het is weer helemaal mis! Als het gehoor morgen terugkomt ben ik ontzettend blij dat het er weer is. Tegelijkertijd is dat dan weer het begin van een nieuwe onzekere periode die met de nodige angst gepaard gaat. Hoe lang blijft het gehoor dan? Wanneer moet ik weer afscheid nemen? Wanneer het implantaat er komt, klinkt alles anders, maar het gehoor blijft. Een CI doet het altijd. Dan kan ik met een gerust hart wakker worden omdat ik weet dat wat ik heb er nog steeds is. Hoe het ook uit zal pakken, of het gehoor nu weer terugkomt of dat er uiteindelijk een CI zal komen, ik kijk écht uit naar het moment dat ik de draad van mijn leven weer kan oppakken.

Gisteravond kon ik niet meer bedenken hoe de klok sloeg. Paniek! Een uur lang ben ik in mijn hoofd bezig geweest het geluid weer uit mijn brein 'op te vissen'. Alle klokgeluiden passeerden de revue, maar gelukkig heb ik 'm weer gevonden. Het is onvoorstelbaar wat voor opluchting ik voelde. Zo van: ik ben het nog niet vergeten.

De afzuigkap heeft een hele nacht gebruld. Ik heb zo'n goedkoop ding, die enorm veel decibellen heeft en die ik normaal gesproken al in de schuur kan horen. Als ik dan de volgende ochtend ontdek dat het ding nog aanstaat, dan triggert dat al mijn verdriet over mijn doofheid en kan ik alleen maar huilen.

Op de lagere school werd ik enorm gepest. Ik was anders dan gemiddeld. Ik was lang voor mijn leeftijd en ik hoorde slecht. Twee belangrijke redenen om buiten de boot te vallen. Het pesten bestond uit dagelijks lichamelijk en psychisch geweld. Mij buiten school, op weg naar huis opwachten en in elkaar rammen. Spullen van mij kapot maken, afpakken of beschadigen. Mij altijd en overal laten schrikken. Dat is iets wat altijd lukt, want ik hoor mensen niet of nauwelijks aankomen. Mij uitschelden op een manier die de spot dreef met hoe ik sprak. Ik had een spraakachterstand en vond het moeilijk bepaalde letters uit te spreken. Wekelijks kreeg ik logopedie op school. Logopedie had ik altijd onder de leuke lessen, zoals biologie of handvaardigheid. Het was gewoon niet eerlijk, want vaak werden er werkstukken gemaakt en ging iedereen met iets moois naar huis, behalve ik.

Hoofdstuk 3

4 november 2008

Ik heb nieuws. Ik hoor weer iets! Als ik met een kopje op de tafel beuk of ik smijt de voordeur dicht, dan hoor ik dat. Het is nog maar weinig, maar van niets naar iets is gigantisch.

Ik zat gisteravond op de bank en ik had Hans ge-sms't dat ik wat later dan afgesproken met hem wilde msn'en, want ik wilde even naar *Spoorloos* kijken. Vervolgens zat ik wat aan mijn hoortoestel te friemelen (die droeg ik de afgelopen weken ook, anders is het zo koud aan mijn oor en voelt het zo bloot). Ik had jeuk in mijn oor en per ongeluk raak ik de volumeschakelaar aan. Als je het volume opschroeft of bijstelt dan geeft elk stapje een piepje. Het hoortoestel geeft een langere piep wanneer je toestel op z'n hardst of zachtst staat. Die piepjes hoorde ik.

Ik schrok en dacht: nèèh, dat kan niet. Nog een keer, maar toch, écht waar, ik hoorde ze. Toen sloeg ik met de afstands-bediening op de tafel en dacht: dit hoor ik ook. Ik sms'te naar Hans: msn'en nu graag, want ik hoor weer wat!

Ik vertelde hem wat ik kon horen en sloeg steeds met een pen op mijn bureau en riep: dit hoor ik! Vervolgens hebben we elkaar alleen maar met stomme verbazing aan zitten te kijken, sprakeloos, beduusd, weer even met de pen op het bureau slaan, wat lachen naar elkaar. Het eerste wat ik zei was: "Als het er morgen dan ook nog maar is," waarop Hans zei: "Daar gaan we weer ..." Hij kent mijn angst voor ge-hoorverlies al zó lang.

Ik sms'te naar mijn ouders dat ik weer iets hoorde. Mijn moeder sms'te terug: 'Wistst it wol hiel seker? Sil ik komme om it te fieren?' (vert.: 'Weet je het wel heel zeker? Zal ik komen om het te vieren?') Zij kwam en mijn zus en zwager ook. We dronken een glaasje wijn, we waren blij maar ook allemaal wat beduusd. Vanmorgen werd ik wakker, weer met mijn hart in mijn keel deed ik mijn toestel in en zette 'm aan en sloeg met mijn mobiel tegen de houten achterwand van mijn bed. Gelukkig. Het was er nog. Het zet werkelijk alles in mij weer op zijn kop. Van vertrouwen, naar hoop, naar weinig of geen hoop meer, naar weer opnieuw hoop. Geen idee hoe ik me voel. Ik lach en huil tegelijk.

De eerste hoortoestellen die ik kreeg waren geen succes. Het moest wel een hele meerwaarde hebben, omdat ik al gepest werd zou dat met twee hoorapparaatjes er niet beter op worden. Het paar wat daarop volgde ging er 's morgens in en 's avonds weer uit. Daarmee hoorde ik zóveel meer, dat ik ze in hield en niet meer zonder wilde. Ondanks de pesterijen.

Tijdens een bezoek aan de schoolarts bleek dat ik naar verwachting 2.06 meter lang zou worden, mits mijn ouders zouden besluiten tot een groeistopkuur. Ze vonden én mijn slechthorendheid én extreem lang worden te veel van het goede en besloten tot een groeistopkuur. Ik was toen ongeveer negen jaar. Ik ben uiteindelijk 1.85 m geworden. Daar ben ik blij mee. Toch heeft deze kuur veel impact gehad op de beleving van mijn lichaam. Ik voelde mij 'vreemd' in mijn lijf. Door die kuur kwam ik vervroegd en kunstmatig in de puberteit. Emotioneel en psychisch was ik er niet klaar voor, maar het gebeurde gewoon. Borstgroei, beharing, ongesteld worden, enzovoorts. Een nare, verwarrende tijd vond ik dat. Ik paste niet in mijn lijf.

9 november 2008

Dit weekend ben ik met Hans op Texel. Er even samen tussenuit. We zitten in een knus hotel.
Het lijkt wel een soort seniorenweekend: even in beweging en dan móét ik weer zitten of erger nog: op bed liggen. Het lijkt qua ritme erg op dat van mijn beppe (vert.: oma) Desondanks hebben we het heerlijk. Lekker eten en drin-

ken, wat cadeautjes kopen voor sinterklaas. Kortom gewoon even gezellig samen ergens anders zijn.

Er is tot nu toe veel minder gehoor teruggekomen dan ik had verwacht en gehoopt. Op maandagavond kon ik de harde geluiden ineens waarnemen. Daarna was het wachten op méér wat maar niet of nauwelijks wil komen. Op woensdag was er nog niets veranderd in de situatie en toen wisselden de emoties zich af van hoop, wanhoop, verwachting en verdriet. Gevoelsmatig was het een zootje en dat kostte veel energie. Ik was wel blij met dat kleine beetje gehoor maar toch ook weer niet. De verwarring die dat met zich meebracht en het geslingerd worden tussen de verschillende emoties waren vermoeiend. 's Morgens bij het aanzetten van mijn hoorapparaat was er direct weer de angst: is het er nog? Dat drukte zwaarder dan ooit. Tegelijkertijd voelde de wereld om me heen weer wat dichterbij, dat gaf en geeft dan ook weer een blij gevoel.

Mijn pake (vert.: opa) Piet en muoike (vert.: tante) Anneke waren beiden organist. Het orgel had ook mijn hart gestolen. Ondanks mijn slechthorendheid lieten mijn ouders mij op orgelles gaan. Muziek zat ons tenslotte in de genen. Ik was zeven jaar toen ik op les ging bij een oude overbuurvrouw, buurvrouw Geertje. Ik kreeg les op een trapharmonium. Na een paar jaar ging ik door naar de muziekschool. Daar kreeg ik al vrij vlot les op een kerkorgel. Wanneer ik een muziekstuk goed kende, speelde ik het vrij vlot geheel uit mijn hoofd. Uit reacties van andere mensen begreep ik dat dit best wel bijzonder was. Ik wilde wel in iets leuks 'bijzonder' zijn. Het orgel spelen maakte dat ik even uit mijn realiteit kon ontsnappen. Ik deed iets waar ik goed in was. Wat ik heerlijk vond. Wat niemand anders deed, want het was immers niet stoer, orgel spelen. Orgel spelen was voor duffe, suffe, oude mannen. Ik trok mij daar geen zier van aan. Wanneer ik alleen thuis was, bond ik weleens een shawl voor mijn ogen om te checken of ik het niet alleen uit mijn hoofd kon spelen, maar het ook kon zonder naar de toetsen te kijken. Natuurlijk werd ik daarmee betrapt en heb ik dat nog vele, vele keren moeten horen.

Het oorsuizen is nog steeds oorverdovend. De afgelopen week had ik een héle dag het liedje: 'Een tante uit Marokko', in mijn hoofd. Kijk als het nu nog leuke of mooie liedjes zijn dan is het nog wat, maar het zijn allemaal liedjes die ik vrese-lijk vind. Vanmiddag had ik steeds 'Hij leve hoog, hij leve hoog.' Ook zo'n niksliedje. Wat nieuw is met het oorsuizen, is dat ik pratende mensen in mijn hoofd hoor. Niet dat ik het kan verstaan, maar wel dat ik mensen hoor praten. Dat vind ik niet prettig. Dat voelt onveilig. Dan probeer ik bewust iets anders in mijn hoofd te zingen.

Het is lastig te omschrijven wat ik hoor. Het hangt af van vermoeidheid, evenwicht, oorsuizen en omgevingsfactoren. Ik hoor de (auto)deuren dichtslaan en wanneer ik de borden op elkaar stapel hoor ik dat ook. Wanneer ik in mijn handen klap hoor ik dat. Ook kan ik mezelf beter horen praten, wat mijn spraak ten goede komt. Binnen een straal van twee meter om mij heen kan ik horen dat er gesproken wordt, maar ik kan er niets van verstaan. Het verkeer hoor ik niet. Het geluid van de föhn hoor ik vaag ver weg. De printer op mijn bureau hoor ik niet printen. Als de hond van mijn ouders blaft hoor ik dat vaag. Aan de verschrikte reactie van Teun, mijn kat, weet ik dat het geluid van mijn computerspelletje per ongeluk aan staat.

Eerste acute doofheid
Op mijn tiende jaar was ik een keer ziek en had onverklaarbare even-wichtstoornissen. Ik werd voor het eerst plotsdoof. Ik kwam in het ziekenhuis terecht. Van de kno-arts kreeg ik een groot notitieblok met een stiftpen. Ik begreep niet zo goed waarom ik daar was, want ik voelde mij niet ziek. Deze doofheid heeft vier dagen geduurd.

Daarna kwam mijn gehoor langzaam weer terug, maar ik ben er toen qua gehoor wel op achteruitgegaan. Er is na die doofheid een aantal dingen op school veranderd. Ik moest vooraan in de klas zitten met mijn tafeltje tegen het bureau van de meester. Natuurlijk wilde niemand naast mij zitten. Er werd niet over nagedacht wat dat voor mij betekende. Nu kon ik de meester wel wat beter verstaan, maar wat er zich in de klas afspeelde, dat kreeg ik niet meer mee. Ik hoorde het niet en zag het ook niet. In de vijfde klas kwam er vloerbedekking in de klas omdat ik het dan wat beter kon verstaan. De vloerbedekking absorbeerde het geluid. Dat betekende dat mijn klasgenoten en ik in het begin op sokken in het lokaal moesten. De schoenen moesten uit en stonden op de gang. Zij vonden alles wat met mij te maken had niet leuk, dus dit ook niet. Dat heb ik geweten. Ik heb in die zes jaren geleerd mij zo onzichtbaar mogelijk te maken met mijn handicap. Dat was beter. Zelf doen, niets vragen aan de ander. Zelf proberen het gebrek in communicatie op te lossen. Dat maakte mij eenzaam, maar ook zelfstandig. Ik kon goed nadenken over wat, binnen de onveilige situatie die er was, het beste voor mij was. Dat kan ik nog steeds. Dit patroon is op de basisschool ontstaan en pas op mijn drieëndertigste jaar doorbroken. Ik had geen vriendinnetjes op die school. Zij waren ook niet te vertrouwen. Alleen wanneer de sportdag er aankwam, dan wilden zij mij wel in hun team hebben. Ik was goed in sport. Op de sportdag zelf had ik dan vaak het gevoel: misschien hoor ik er vanaf nu wel bij. De schooldag erna bleek dat toch een illusie te zijn.

Als ik lijfelijk contact heb met anderen, kan ik geluid voelen. Wanneer ik mijn hand op Hans' borstkas leg, dan voel ik wat hij zegt en ik kan hem daardoor beter verstaan. Dat doe ik natuurlijk niet bij iedereen. Verder gebruiken we ondersteunende gebaren en schrijven we veel. Wanneer we aan een tafeltje in een restaurant zitten en we beiden op het tafeltje leunen, dan is het geluid bijna voelbaar via het tafeltje. Het

resoneert op de tafel wat het geluid meer voelbaar en hoorbaar maakt.

Ik word gefopt door mijn eigen brein. Als ik moet plassen,
kan ik in mijn hoofd horen hoe dat klinkt en denken: hé, dat
hoor ik. Maar ik hoor het nog wanneer ik al lang klaar ben
met plassen.
Zo is het ook in de auto. Ik zit bij Hans in de auto en in mijn
hoofd hoor ik het gesuis van auto's die ons voorbijrijden. Ik
weet in mijn hoofd precies hoe dat zou klinken, zelfs de verschillen in gesuis wanneer een bus of een personenwagen
ons voorbijrijdt, hoor ik in mijn hoofd.

17 november 2008
Het evenwicht is nog hopeloos in de war. Het lopen gaat
iets beter, maar het beeld staat nog steeds niet stil. Fietsen
en scooteren zit er op dit moment niet in. Vooral 's avonds,
wanneer het donker is, loop ik met een dronkemanspas; of
ik nu wel of niet gedronken heb, dat maakt dan niets uit. Het
oorsuizen gaat onverminderd door, alhoewel het de laatste
week meestal harde hoge piepen waren en geen muziek.

*Als ik uit school kwam, moest ik voorzichtig naar huis lopen. Dat
kon niet altijd langs dezelfde route. Wanneer ik pech had, zaten
een paar pesters ergens achter een boom of auto verscholen om mij
de stuipen op het lijf te jagen. In de straat waar ik woonde was ik
veilig.*
*Mijn beste vriendinnetje Jolanda, die op de openbare school zat die
dichtbij mijn school stond, werd zelfs gepest omdat zij met mij bevriend was. Ik was in die tijd het liefste bij volwassenen. Wanneer ik
bij Jolanda thuis was, vond ik het heerlijk om bij haar ouders in de
buurt te zijn. Soms tot grote ergernis van Jolanda. Zij was op haar
kamer, wachtte daar op mij en riep dan naar beneden: "Elske, kom
je nou?"*

Spelletjes op kinderfeestjes waar een blinddoek bij werd gebruikt,
waren dramatisch voor mij. Ik zei natuurlijk niets, want ik was al
blij dat ik op een verjaardagsfeestje mocht komen.
Veel informatie heb ik tijdens de lagere school gemist. Niet alleen op
het gebied van kennis. Songteksten van topveertigmuziek, Madonna,
Wham, Fame, Danny de Munk, daar wist ik vaak alleen maar de
eerste regel van. Die was overal te lezen. Lezen is ontzettend belang-
rijk wanneer je niet goed hoort. Ik kon goed lezen en ik vond het
heerlijk om te lezen. Daarmee heb ik wel wat kunnen compenseren
van wat ik verbaal miste. Bovendien kon ik dan even ontsnappen aan
mijn eigen werkelijkheid.
Schoolreisjes waren niet iets om naar uit te kijken. Ik moest voor mijn
gevoel altijd op mijn hoede zijn. Ik moest alert zijn op de meesters
en juffen. Zij konden ineens weg zijn, dan had ik het fluitje niet
gehoord als teken dat wij ons moesten verzamelen. Ik voelde mij niet
vrij. Ik kan mij niet herinneren dat ik mij ooit onbezorgd heb gevoeld
als kind.

Ik wacht op een oproep van het ziekenhuis in Nijmegen voor
een evenwichtsonderzoek en een psychologisch onderzoek.
Afgelopen week heeft het CI-team overleg gevoerd over mijn
situatie. De vooronderzoeken voor een CI gaan gewoon verder. Misschien komt er nog wel meer gehoor terug? Wie zal
het zeggen? Voordat er geopereerd zal worden zijn we weer
een aantal weken verder. Als het gehoor zo blijft als het nu is
kan ik niet functioneren en dan zal er een CI komen.
Wat is nu werkelijk vooruitgang? Het is fijn dat de wereld
iets dichterbij voelt, omdat ik iets hoor. Tegelijkertijd is het
allemaal net niks en kan ik er weinig mee. Daar komt bij
dat ik geluiden hoor in mijn hoofd, die er niet echt zijn. Dat
maakt het nog complexer.
Ik merk aan de reacties dat mensen allemaal vragen hebben
waar ik zelf nog geen antwoord op heb. Vooralsnog ga ik
ervan uit dat ik een CI krijg. Voor een CI is de belangrijkste

graadmeter het spraak verstaan en dat is op dit moment helemaal niks.

Vandaag voelde ik mij best wel goed na een slecht weekend. Ik dacht: ik ga proberen een stukje te fietsen. Het ging net als vroeger toen ik leerde fietsen. De rechte stukken gingen wel, maar de bochten waren moeilijk. Het viel mij tegen. Toch ben blij dat ik het gedaan heb en het was het hoogtepunt van deze dag. Even wat anders zien dan alleen de winkelstraat om de hoek. Morgenavond wil ik weer naar de sportschool, op de hometrainer. Dan heb je geen bochten en bovendien zijn er geen andere bewegende objecten die passeren.

Alhoewel! Twee weken geleden was ik daar om op de hometrainer te fietsen. Toen zat er een man naast mij op de fiets. Hij fietste als een gek. Zijn linkerbeen draaide steeds in mijn rechteroog. Dus uiteindelijk fietste ik met één oog dicht omdat ik anders zo misselijk werd van zijn ronddraaiende been maar dat fietste ook niet lekker.

Ik heb mij op school eenzaam en alleen gevoeld. In de zesde klas is een buurman van de school naar de school toegegaan omdat hij het niet langer aan kon zien dat ik zo gepest werd. Daarna kwam de school praten met mij en mijn ouders. Ik weet dat de school met de ouders van de pesters heeft gesproken. Er is zelfs nog een pester bij ons aan de deur geweest, zijn vader zat nog in de auto, hij moest zeggen dat het hem speet en dat hij het nooit weer zou doen. Ik weet nog dat ik als de dood was om de volgende dag naar school te gaan. We hebben op dat moment overwogen om van school te wisselen. Ik zat al in het laatste jaar. Zelf wilde ik niet meer naar een andere school. Dan zou ik weer opnieuw moeten beginnen. Dat zag ik niet zitten. Bovendien wist ik hier wat ik had, ook al was het vreselijk. Ik wilde er niet aan denken wat er op een mogelijke nieuwe school zou kunnen gebeuren. Daarom besloten wij dat ik het laatste jaar op

deze school zou blijven. Daarmee was het pesten niet over, maar wel
stukken minder. Ik was zo beschadigd dat ik niemand meer durfde te
vertrouwen ook al was het verlangen naar vriendschap groot.

Het is goed te weten dat het heel belangrijk voor mij is om
de nachten goed op eigen kracht door te komen. Nu ik weer
iets hoor, is er weer geluid in mijn huis. Dat klinkt in niets
op hoe ik het eerder hoorde. Het is vreemd, naar en geeft
mij geen veilig gevoel. Ik herken geluiden niet en weet niet
wat ik precies hoor. Het is belangrijk om de eerste nachten
alleen in huis te zijn. Dat dwingt mij vertrouwen te zoeken
in mijzelf en in mijn huis. Ik weet uit ervaring dat, wanneer
de eerste drie nachten voorbij zijn, het in orde is. Dan voelt
het weer goed en oké. Wanneer Hans nu bij mij zou blijven
slapen is dit uitstel van executie.

Mevrouw De Vries

Bij de kno-afdeling in het ziekenhuis zit mevrouw De Vries in
de wachtkamer, lekker in een tijdschrift te lezen. Wanneer
de arts zover is, wordt er door de assistente een naam geroepen. De assistente roept mevrouw De Vries. Door alle
mensen in de wachtkamer en het lawaai dat dit met zich
meebrengt hoort mevrouw De Vries dat niet. Er wordt aangenomen dat mevrouw De Vries mogelijk naar het toilet is
of wat dan ook en een andere patiënt wordt binnengeroe-
pen die toevallig wel met gespitste oren op het puntje van
de stoel zat. Een nummertjesautomaat zou hier al wonderen
kunnen doen, een simpel display met een knipperlamp erop,
zodat zichtbaar wordt gemaakt wanneer er iemand geroepen
wordt en vervolgens het nummer van wie er dan wordt geroepen. Of het gewoon persoonlijk houden en mevrouw De
Vries fysiek benaderen en aanspreken.

Mevrouw De Vries komt ook bij de audicien (verkoper van hoortoestellen en aanverwante artikelen) om haar nieuwe hoorapparaatje op te halen. De audicien heeft haar apparaatje in zijn hand, laat het haar zien en legt haar uit hoe het apparaatje werkt. Ik sta met volle verbazing naar dit tafereel te kijken. Mevrouw De Vries knikt nu en dan 'ja', maar aan haar hele lichaam kan ik zien dat het antwoord 'nee' is. Zij heeft het grootste deel van zijn verhaal niet verstaan. De audicien ziet dat niet. Hij wenst haar veel plezier met haar nieuwe toestel.

Eind november 2008

In maart is mijn schoonvader overleden. Ik kon het altijd goed met hem vinden. Wij deelden een liefde voor kamerplanten. Hij was oud en klaar met zijn leven. Nadat zijn vrouw was overleden was de glans van zijn leven eraf. Gelukkig is hem een lang ziekbed bespaard gebleven en is hij vredig gestorven. Zijn begrafenis heb ik begeleid op het kerkorgel en dat was mooi om aan mijn afscheid van hem op die manier letterlijk handen en voeten te kunnen geven. Vandaag was ik bij een herdenkingsbijeenkomst in het verzorgingshuis waar schoonvader woonde. Daar werden de bewoners die in het afgelopen jaar waren gestorven werden herdacht. Ik ging erheen samen met mijn schoonzussen. Er was een spreker, die ik vaag kon horen, maar ik kon er niets van verstaan. Ik ontdekte een piano en zag dat die werd bespeeld. Ik hoorde niets. Schokkend was dat. Ik heb me suf gejankt, niet alleen om mijn schoonvader die ik erg mis, maar ook om mijzelf.

Als kind schreef ik veel in dagboeken. Zo vond ik een passage terug die ik schreef op 1 januari 1988. Ik was toen veertien jaar. 'We wensten elkaar een gelukkig nieuw jaar. Daarna gingen we naar buiten om de buren ook het beste te wensen voor 1988. Er woont een jongen in onze straat die op de lagere school in dezelfde klas zat als ik. Met hem en zijn vrienden heb ik vele ruzies gehad. Hij negeerde mij tot nu toe steeds. Maar vanavond was het grote moment daar. Ik ben op hem afgestapt en heb hem een gelukkig nieuwjaar gewenst en drie zoenen gegeven. Zo, dat hebben we weer gehad. Ik dacht: ik laat mij niet klein krijgen door jou.' Het gevoel van overwinning kan ik mij nog goed herinneren.

Het geluid is wat sterker en duidelijker geworden en het klinkt raar. Ik kan de klok horen slaan, maar hij klinkt in de verste verte niet als de klok uit mijn herinnering. Sinds een paar dagen kan ik stemmen iets duidelijker waarnemen en gecombineerd met liplezen kan ik zien waar het gesprek over gaat. Zodra ik niets zie, versta ik er niets meer van.

Je zou zeggen: hartstikke mooi dat je weer wat hoort. Dat is zo, er gaat niets boven écht geluid en tegelijkertijd ben ik er niet zo blij mee.

Mijn angstscenario is dat ik straks te veel zal horen om in aanmerking te kunnen komen voor een CI maar wel een grote stap terug moet doen in vergelijking met het gehoor van voor deze doofheid. Om het verhaal compleet te maken zie ik ertegen op om weer afscheid te moeten nemen van die geluiden die ik nu wel hoor (wc doortrekken, knop van de waterkoker, slaan van de klok, getik van hakken op de grond, vaag de stemmen van de mensen die ik liefheb enzovoorts) omdat dit weer anders zal klinken met een CI.

Als het weer wordt zoals het was, dan kan ik wel weer functioneren, maar dan zal ik iets moeten ondernemen om met mijn angsten te leren omgaan. En dan komt er onvermijdelijk weer een periode van acute doofheid en is het opnieuw afwachten hoe dat verder zal gaan. Elke keer wordt mijn leven overhoop gegooid. Het mentale stuk in deze situatie is zo zwaar, dit wil ik nooit weer. Gedurende een deel van de dag zet ik mijn hoortoestel uit, omdat ik anders continu bezig ben met geluid. Ik moet mijzelf wat beschermen om niet de hele dag door zo gespannen te zijn.

Hoofdstuk 4

Ik mis het geluid van de rust in huis. Het geluid dat ik hoor als ik alleen thuis op de bank zit, zonder dat de televisie of radio aanstaat. Het is zo vermoeiend om continu zo veel in herrie in mijn hoofd te hebben. Het vraagt veel van mij om daar rustig onder te blijven.

Afgelopen weekend nam mijn vader afscheid als dirigent. Hij is 25 jaar dirigent geweest van verschillende koren. Zondagmiddag had hij zijn slotconcert. Normaliter begeleid ik dit koor en nu was ik er niet bij. Dat klopte niet.

Na de lagere school ging ik naar de leao. Ik kwam van de hel in de hemel terecht. Ik voelde mij goed op school, ik durfde daar vrienden te maken. Ik had een leuke vriendschap met Annet. Met Annet kon ik alles. Lief en leed deelden wij met elkaar. Wij hadden veel lol samen. Ik had in mijn leven nog niet zoveel gelachen als met Annet. Op school werd ik gezien als Elske die toevallig slechthorend was. Ik voelde mij gezien en gehoord door klasgenoten en docenten. Ik had een mentor, meneer De Boer, hij gaf les in Duits. Hij heeft mij vanaf het begin af aan laten weten dat ik bij hem terechtkon als er wat was. Een heerlijke tijd. Er was veel tijd en ruimte voor sport op school. We gingen naar schoolvolleybal- en schoolbasketbaltoernooien. Dat was goed voor mij. Ik kreeg steeds meer zelfvertrouwen en voelde mij door het sporten lichamelijk ook veel beter.

Deze week heb ik regelmatig de indruk dat het allemaal wel goed zal komen met mijn gehoor. Ik hoor dan voor mijn gevoel weer veel, ook al klinkt het allemaal anders en raar. Het is zo raar dat ik voor een CI wil gaan kiezen, terwijl ik wel weet wat ik had, ook weet wat ik nu heb, maar niet weet wat ik er met een CI voor terugkrijg. Wanneer ik dan weer eens euforisch ben over wat ik hoor en bang ben dat ik niet meer in aanmerking kom voor een CI, relativeert Hans dat ter plekke tot op het bot. Hij daagt mij uit mijn angsten onder ogen te zien of in dit geval, onder oren te horen.

Zo hebben wij muziek getest. Hij zette een voor mij bekende cd op. Ik vroeg hem: "Ken ik deze cd?" Hij zei: "Ja." Ik had het gevoel dat ik naar een totaal onbekende cd zat te luisteren. De muziek was onherkenbaar voor mij. Vandaag hebben wij opnieuw getest. Een interview op de radio, met behulp van de ringleiding en het volume op de hoogste stand. Ik kon wel horen dat er twee mensen met elkaar praatten maar ik kon er totaal niets van verstaan. Aan de ene kant ben ik geschokt en verdrietig over dat wat ik kwijt ben. Of het nu een CI wordt of niet. Het geluid is nu alweer anders, vreemd en onwennig. Aan de andere kant ben ik opgelucht en blij omdat een CI nog steeds duidelijk binnen bereik is en wanneer het zover is, dan kan ik eindelijk met een gerust gehoor verder bouwen aan mijn leven.

Een ringleiding zorgt ervoor dat slechthorenden met een hoortoestel het geluid van televisie en radio of het geluid in bijvoorbeeld een concertzaal of kerkgebouw, rechtstreeks kunnen beluisteren. Veel hoorapparaten hebben een T-stand. Dat is afgeleid van het Engelse Tele-coil. Het is een luisterspoel. Slechthorenden kunnen hun hoortoestel op de 'T-stand' zetten. Het geluidssignaal (microfoon, tv, telefoon of wat dan ook) wordt aangesloten op een versterker. Deze versterker zendt het geluidssignaal door een draad (de ringleiding) die in een lus langs plint of plafond van je huiskamer, de concertzaal of kerk is aangelegd. Door middel van inductie (magnetisch veld) ontvangt het hoortoestel het signaal uit de ringleiding. Het is hetzelfde als een radio die de zender uit de lucht pikt. Je krijgt het geluid dus rechtstreeks van de bron. De microfoon van je hoortoestel wordt niet gebruikt. Het voordeel daarvan is dat je geen last hebt van een mogelijke slechte akoestiek van de ruimte en de eigenaardigheden van de microfoon op het hoortoestel. Daar komt nog bij dat je met ringleiding het volume zelf kunt afstellen op het hoorapparaat zonder dat je last hebt van bijgeluiden uit de ruimte. Een nadeel is natuurlijk dat je bij gebruik van ringleiding geïsoleerd bent van eventueel andere in de ruimte aanwezige mensen. Die kun je dus niet horen.

december 2008

Woensdag heb ik twee onderzoeken in Sint-Michielsgestel, bij Viataal. Een logopedisch onderzoek en een psychologisch onderzoek. Het Radboudziekenhuis Nijmegen werkt samen met Viataal in het kader van cochleaire implantatie. De revalidatie vindt plaats bij Viataal. Op 5 januari heb ik een afspraak in het Radboudziekenhuis Nijmegen voor een evenwichtsonderzoek. Het gaat nu snel.

Ik denk aan geluiden die ik met implantaat mogelijk nooit meer kan horen of die anders zullen klinken. Vooral de stemmen van de mensen om mij heen. Dat vind ik moeilijk. Ik hou zo van Hans, maar ook van zijn stem. Het maakt Hans tot Hans. Zoals ik eerder schreef voelt het een beetje alsof er een stukje van iemand doodgaat. Het klinkt dramatisch, maar ik vind het ook dramatisch. Ik denk dat veel mensen geen idee hebben hoezeer hun stem invloed heeft op hoe de ander jou beleeft. Het geeft eigenheid, veiligheid en vertrouwdheid. Ik voel mij gespannen. Ik ben continu bezig met geluid. Steeds check ik wat ik hoor en hoeveel ik hoor. Als ik niet weet waar mensen over spreken en ik ze niet zie praten dan versta ik niets.

Ik hoor de afzuigkap, maar ik ervaar het als een aangenaam geluid, terwijl ik weet dat het in werkelijkheid een enorme herrie is. Ik ben zo blij dat ik weer kan sporten en mij weer vrij kan bewegen. Het hardlopen ging alweer stukken beter dan vorige week. Met hardlopen voel ik het verschil niet zo tussen nu doof zijn en eerder slechthorend. Dit komt omdat ik eerder altijd zonder hoorapparaat liep en dan ook niets kon horen. Toen droeg ik tijdens de warming-up mijn hoorapparaat wel, maar zodra ik begon te zweten haalde ik het eruit. Het is wonderlijk wat ik dan allemaal voel en 'hoor' in mijn lijf zonder hoorapparaat. Ik hoor mijn hartslag heel duidelijk, ik voel het bloed door mijn lijf gaan en ik voel hoe mijn voeten de grond raken. Op de een of andere manier ben ik dan meer in mijn lijf.

Voor slechthorenden is het belangrijk goed om je heen te kijken. Mensen goed aan te kijken. De combinatie van geluid en liplezen is vaak essentieel om te weten wat er gezegd wordt. Op de leao hadden we een stagiairedocent Engels. Een niet geheel onaantrekkelijke en relatief jonge man, die menige pubermeid het hart op hol deed slaan.

Op een keer gaf hij een dictee Engels. Voor mij betekent dicteren vaak degene die spreekt indringend aankijken en schrijven zonder naar het notitieblok te kijken, omdat ik het anders zeker wel kan schudden. Hij zat me steeds vragend aan te kijken. Ik dacht: wat moet die vent? Ik snapte het niet. Op een zeker moment zei hij tegen mij: "Kunnen wij privé en zakelijk even gescheiden houden?" Een jaar later kwam ik diezelfde docent tegen in een discotheek. Hij keek mij vragend aan. Ik liep naar hem toe en zei: "Kunnen wij privé en zakelijk even gescheiden houden?"

Ik ben in Sint-Michielsgestel geweest voor een psychologisch onderzoek en een gesprek met de logopediste van de revalidatieafdeling. In het gesprek met de psycholoog maak ik duidelijk dat ik klaar ben voor een CI en dat ik liever vandaag dan morgen geopereerd zou willen worden. De angst en stress die mijn gehoor dagelijks met zich meebrengt drukt zwaar. Een periode als deze wil ik nooit weer meemaken. Het maakt mij eerlijk gezegd niet meer zo veel uit op welk oor het CI zal komen. Rechts heb ik nu wat gehoor, maar ook dat is niet van blijvende aard. Dus als zij zeggen dat het rechteroor het beste oor is voor een CI dan vind ik het prima. Ik merk dat mijn gevoelens ten aanzien van een CI aan het verschuiven zijn. Het liefste wil ik twee CI's. Dan ook graag stereo. Ik mocht een voorkeur uitspreken voor het merk CI. Er zijn verschillende merken. Elk merk heeft zijn voor- en nadelen. Ik heb gekozen voor de 'Advanced Bionics'. Met een CI van dit merk denk ik dat ik op het gebied van muziek de beste kansen maak. Mogelijk wordt het niks met muziek, maar dan zal het tenminste niet aan het CI liggen. Ik ga het natuurlijk wel proberen. Orgel spelen met CI. Als het niet lukt, pas dan kan ik werkelijk afscheid nemen.

In het gesprek met de logopediste wordt het revalidatieproces uitgelegd. In het begin is het erg intensief. Hans wordt mijn co-therapeut en gaat mee wanneer we daar een aantal dagen zijn. Met hem zal ik thuis gaan oefenen. De logopediste laat mij een audiogram zien waarbij staat aangegeven wat ik zeker met een CI zou moeten kunnen horen. Als dat waar is moet ik in het spraakgedeelte meer kunnen horen dan dat ik eerder kon. Ik hoor dan veel meer hoge tonen.

Dat betekent dat ik medeklinkers beter zal kunnen horen, wat het verstaan gemakkelijker maakt en ervoor zorgt dat ik veel minder hoef te raden. Normaal ben ik continu aan het raden, binnen de context, wat er gezegd wordt. Dat kost veel energie. De medeklinkers geven in vergelijking met de klinkers veel meer informatie. Ik ben aangenaam verrast. Verder vermoedt zij dat het proces van revalideren voor mij mogelijk sneller gaat, omdat ik weet wat ik moet horen. Iemand die altijd doof is geweest, moet geluiden leren kennen en ontdekken wat er allemaal geluid maakt.

5 januari heb ik het evenwichtsonderzoek. Daarna gaat het CI-team overleggen en volgt er een afsluitend gesprek met mij en Hans. Als alles goed gaat kan daarna de operatie gepland worden. De meeste mensen zijn zeker zo'n acht maanden onderweg totdat de CI-operatie komt. Ik heb nu bijna drie dove maanden achter de rug. Fijn dat het bij mij zo snel gaat.

Aan de hand van een simpel voorbeeld kun je al zien dat medeklinkers veel meer informatie bevatten dan klinkers. Als ik schrijf: 'm-d-kl-nk-rs' of ik schrijf: 'e-e-i-e'. Ik mis normaal gesproken veel medeklinkers omdat medeklinkers voornamelijk veel hoge tonen bevatten en ik deze niet goed kan horen. Klinkers hebben zoals het voorbeeld duidelijk laat zien, weinig informatie, maar ik kan ze wel goed horen omdat ze veel lage tonen bevatten. Ook zijn klinkers vaak veel luider in de spraak dan medeklinkers. Voor mij is het dus van groot belang om te kunnen liplezen. Zodat ik aan de hand van het mondbeeld kan zien wat er gezegd wordt.

Vandaag kreeg ik de vraag van *omrop Fryslân* of ik het een goed idee vind dat er op tweede kerstdag een compilatie uitgezonden wordt van het interview dat ik vorig jaar met hen had. Dat ging over slechthorend zijn en orgel spelen. De compilatie wordt aangevuld met stukken van het orgelconcert dat ik vorig jaar heb gegeven. Ik mag aangeven welke stukken dan mijn voorkeur hebben. Ten slotte vragen zij mij wat zij kunnen vermelden over hoe het nu met mij gaat. Ik vind het prima als ze dit willen uitzenden. Wat ben ik blij dat ik vorig jaar dat concert heb gegeven. Het voelt oneindig lang geleden. Ik zal die compilatie zelf waarschijnlijk niet kunnen horen. Wie weet kan ik het later met een CI nog eens beluisteren.

Voor mijn gevoel was ik op de leao een heel goede leerling. Later, toen ik de schoolresultaten terugzag moest ik lachen, want ik bleek toen maar een matige leerling te zijn. Het geeft voor mij ook aan hoezeer ik mij op mijn plek voelde op de leao en hoe ik ervan genoot. In mijn dagboek schreef ik daarover dat ik het jammer vond dat het zomervakantie was, want ik vond het zo gezellig op school. In die tijd heb ik geleerd dat er toch wel mensen waren die ik kon vertrouwen en waar ik mij veilig bij kon voelen. Zowel leeftijdsgenoten als volwassenen.

Vandaag ben ik begonnen op het werk met administratief werk. Ik ben maatschappelijk werker en werk normaal gesproken in het algemeen maatschappelijk werk. Dan voer ik hulpverleningsgesprekken met mensen. Nu ondersteun ik de administratie omdat ik mijn eigen werk niet kan doen. Het geeft mij een goed gevoel even uit mijn huis te zijn, iets nuttigs te doen en onder de mensen te zijn. Ik mis mijn eigen werk en kijk er naar uit dat ik dat straks weer kan oppakken.

Ik heb mij ingeschreven op een forum waar ik veel informatie heb gevonden en veel ervaringen heb gelezen van mensen die een CI hebben. Zo las ik een verhaal van een goedhorende man die plotsdoof was geworden. Hij heeft vorige week, na zeven maanden doofheid, een CI gekregen. Hij schreef dat hij tijdens het wachten ook zo'n last had van liedjes in zijn hoofd. Ook al vind ik het vreselijk dat zo'n man hetzelfde meemaakt als ik, toch deed het mij goed. Ik moest er wel om lachen en dacht: gelukkig, ik ben niet gek. Er zijn er meer. Hij had 'Jingle Bells' en 'Vader Jacob'. Dat verschilde niet zo van mijn verhaal.

Ik speelde nog steeds orgel en had les op de muziekschool. Ik ging op zoek naar een kerkorgel om op te oefenen. Dat viel nog niet mee.

Jonge organisten kregen weinig kans om eens op een kerkorgel te spe-
len. Reden daarvoor was dat men bang was dat het orgel vernield zou
worden. Uiteindelijk kon ik bij een kerk een tienrittenkaart kopen,
zodat ik elke week een uurtje kon oefenen.

Mijn ouders vonden het belangrijk dat wij naast een muziekinstru-
ment ook voor een sport kozen. Ik heb jarenlang op korfbal gezeten
en daar voelde ik mij heerlijk. Het was een vereniging waarbij de
leden een grote familie vormden. Ik zat in een hecht team. Bijna
elk weekend hadden we wel bij iemand een fuif. We gingen met een
gedeelte van het team op dansles. Regelmatig hadden we toernooien
en dat was altijd oergezellig. Het sporten heeft geholpen om mij weer
lekker in mijn lijf te voelen. Het waren mooie tijden. Voor mij was
er geen gepest of getreiter en ik voelde mij gezien en gewaardeerd. Ik
kreeg daar vrienden en vriendinnen met wie ik op stap ging. Liplezen
was ook erg handig wanneer we gingen stappen. Omdat ik er goed
in was, kon ik op afstand met vrienden en vriendinnen 'praten'. Dat
niet alleen, ik kon ook zien waar leuke jongens of interessante man-
nen over spraken. Als ik eenmaal wist in welke taal gesproken werd,
kon ik soms hele gesprekken volgen.

Nog even en dan is het kerst. Ik vind het moeilijk. Normaal
gesproken zou ik nu druk zijn met muziek. Uren achter het
orgel zitten thuis of in de kerk om muziek uit te zoeken en
te oefenen voor de kerstnachtdienst. Ik besef goed dat het
nooit weer zo wordt als het was qua muziek. Dat, áls het
wat wordt met muziek, het anders zal zijn. Een toonladder
klinkt nu volslagen vals in mijn oren en een orgel klinkt niet
als een orgel. Normaal gesproken zou ik lekker naar muziek
luisteren. Nu is het stil in huis. Kaal vind ik het. Het voelt
niet als kerst. Regelmatig komen de gedachte en hoop voorbij dat dit niet zo zal blijven en dat er een moment komt dat
ik weer van muziek kan genieten. Ik maak mij daar wel wat
zorgen over. Vanmorgen op het werk spraken wij over het

versturen van kerstkaarten. Ik zei dat ik geen kerstkaarten ging schrijven omdat ik daar geen zin in heb. Als ik wel kaarten zou versturen dan zou ik mensen een lekker gewoontjes, rustig en kabbelend 2009 toewensen!

Hoofdstuk 5

januari 2009

De communicatie met mensen verloopt moeizaam. Het kost veel energie voor beide partijen. Nu ik weer iets hoor, zijn mensen toch eerder geneigd te spreken en niet te schrijven. Ik wil niets liever dan gewoon praten, maar al snel blijkt dat er dan nog geen sprake is van 'gewoon praten'. Dit betekent dat ik continu aan het liplezen ben en aan het raden. In stille ruimtes en een-op-eencommunicatie gaat het nog, maar zeker wanneer er meer geluiden zijn en/of mensen aanwezig zijn, gaat het niet en is het vermoeiend. Ik heb mij voorgenomen te vragen of mensen meer willen opschrijven, zeker wanneer we met meerdere mensen zijn. Dat scheelt veel energie. Ik zal daar zelf ook duidelijker in zijn.

Mijn zus vertrok voor een jaar naar de USA om daar in een gastgezin te gaan wonen en naar de highschool te gaan. Zij was zestien en ik was veertien. Het was voor ons beiden wel goed dat we een jaar niet in elkaars buurt waren en beiden een spurt maakten in onze ontwikkeling. Ik leunde veel op haar. Ik liftte vaak mee op haar populariteit. Daarmee bedoel ik dat zij mij dan op sleeptouw nam en ik daardoor ook contacten kreeg. Het ging haar voor de wind. Alles liep bij haar op rolletjes. Ze had niets aan haar lijf wat buiten proporties was of scheef. Jongens vonden haar aantrekkelijk en ik had het gevoel dat ik in haar schaduw liep. Wij hadden, zoals ik er nu op terugkijk, geen gelijkwaardige relatie. Ik had haar zorg nodig en tegelijkertijd wilde ik zelfstandig zijn en mijzelf redden. Ik voelde mij, vooral in contacten met anderen, erg onzeker. Aan de andere kant voelde ik mij verantwoordelijk. Verantwoordelijk voor het 'vreselijke' pubergedrag van Hendrika. Dan gingen we bijvoorbeeld beiden naar orgelles (ik met mijn hart en Hendrika met haar hoofd) en bij de kruising fietste zij richting de stad en schreeuwde tegen mij: "Sis mar dat ik siik bin!" (vert.:"Zeg maar dat ik ziek ben!") Dat deed ik, want ik wilde haar niet verklikken en tegelijkertijd voelde ik mij vreselijk ten opzichte van die leraar en ten opzichte van mijn ouders. Ik had vaak het gevoel dat ik deelgenoot werd gemaakt van haar geheimen en dat ik daar dan ten opzichte van anderen over moest liegen. Vreselijk vond ik dat. In het jaar dat zij in de USA zat, leerde ik voor mijzelf te beslissen, zelf vrienden te maken, mijn eigen kleding uit te zoeken, mijn haar en make-up te doen, enzovoorts. In dat jaar gingen we verhuizen van Leeuwarden naar een klein dorp vlakbij. Weg van het huis en de plek waar ik veel nare herinneringen aan had en mij nooit veilig voelde. Ik zag ernaar uit.

Ik mis een 'gewoon' gesprek. Het zijn nu wat stenoachtige gesprekjes. Snel de kern van de boodschap, terwijl de sfeertekening met woorden vaak het verhaal zo leuk maakt.
Ook mis ik het samen met Hans een boom op te zetten over een willekeurig onderwerp. Gewoon lekker samen op de bank ergens over 'filosoferen'. O ja en het normaal ruzie kunnen maken. Daar kijk ik erg naar uit. Dat wanneer Hans snel spreekt, ik hem óók kan verstaan. In een ruzie te moeten zeggen: 'Wat zeg je?' is rot, maar het dan nog een keer te moeten herhalen is helemaal vreselijk.

Lastig

Laten we er niet omheen draaien. Slechthorenden zijn ook 'lastige' mensen. Je moet van alles bij ze doen of laten. Je moet duidelijk spreken, je mag niet met je hand voor de mond zitten en geen glas of mok voor je mond houden. Je mag geen achtergrondmuziekje opzetten. Je denkt soms dat zij iets weten omdat je dat toch gezegd had, maar dan blijkt dat ze dat niet gehoord hebben waardoor sommige dingen in de soep lopen. Ze horen jou niet, wanneer je vanuit de

Ik merk dat het nog steeds schommelt qua horen. De ene dag hoor ik van de klok wel de bim maar niet de bam en de andere dag omgekeerd. De ene dag klinkt de klok volslagen vals en de andere dag komt het aardig in de buurt van mijn herinnering. Geen peil op te trekken dus.

Het is raar hoe ons brein werkt. Als ik zie dat mijn mobiel gaat, omdat er een sms'je binnenkomt, hoor ik hem trillen. Als ik het niet zie, dan hoor ik het ook niet. Het lijkt dan vaak dat ik veel hoor, terwijl dat niet zo is. Dat maakt het verwarrend. Het auditief geheugen is enorm. Bij acute doofheid is het logisch dat wanneer er iets op de grond valt, ik daar zelf een geluid bij kan bedenken, omdat ik weet hoe iets klinkt wat op de grond valt. 'Zien is horen' is een uitspraak die bij doven en slechthorenden veel gebruikt wordt. Hier zit dan nog een dimensie aan vast, van het auditief geheugen. Dat ik weet dat er ergens een geluid aangekoppeld is. Mensen die nooit hebben gehoord, weten ook niet wat er aan geluiden te ervaren is.

Ik ben gisteren naar Nijmegen geweest voor het laatste onderzoek, het evenwichtsonderzoek. Aanvankelijk zag ik er wat tegenop maar het is mij reuze meegevallen. Nu is het afwachten tot eind januari. Dan hebben ze weer overleg als CI-team. Ik kijk uit naar een CI, omdat ik dan iets kan doen. Dat ik met de revalidatie kan oefenen, opnieuw leren horen, luisteren en verstaan. Dat ik zélf iets kan doen om het resultaat te beïnvloeden.

Toen ik vijftien was kreeg ik mijn eerste vriendje, deed ik eindexamen voor het leao en won ik de tweede prijs met een orgelconcours. Naar aanleiding van dit concours werd ik gevraagd of ik in onze nieuwe woonplaats organist wilde worden. Het leven lachte mij toe. Hendrika was vanuit Leeuwarden naar de USA gegaan en kwam in een ander huis 'thuis'. In een vreemd nieuw dorp, en wij als zussen waren toch ook een beetje vreemd voor elkaar. Wij moesten weer aan elkaar wennen.

Ik vond het dorpsleven mooi. Ik kreeg daar leuke vrienden en vriendinnen. Ik genoot van de dorpsfeesten en zag met verbazing hoeveel mensen er op klompen liepen. Geweldig vond ik dat. Doordat wij Fries spraken, verliep de aansluiting relatief gemakkelijk. Het enige wat ik wat vervelend vond was dat wij vaak werden aangesproken als 'de meisjes van de bank'. Ik was zo vaak met een andere naam aangesproken dan mijn eigen dat ik dit niet leuk vond, ook al zat daar niets achter.

Ik heb een datum gekregen voor mijn CI-operatie. Op 24 maart, onder voorbehoud.

Het was tot vandaag steeds wachten, wachten en nog eens wachten. Tot overmaat van ramp kreeg ik deze week bericht dat ik op 9 februari naar Nijmegen moet voor een CT-scan. Het blijkt dat de beelden van een eerder gemaakte CT-scan in Leeuwarden, onvindbaar zijn. Ook de MRI-gegevens zijn zoek. De moed zakte me in de schoenen, want ik had me zó ingesteld op: 26 januari bespreken ze het en nemen ze een besluit en dan weet ik meer. Nu duurt het dan wéér drie weken langer en weet ik nog steeds niets. Ik mail naar het CI-team en uiteindelijk is het dan nu zo dat ze mij komende maandag 26 januari wel gaan bespreken. Dan volgt na de CT-scan een eindgesprek en heb ik een afspraak met de anesthesist. En ik heb nu een datum waarop, onder voorbehoud, de operatie zal worden uitgevoerd. Het geeft mij meer rust en richting nu ik weet wanneer de operatie komt.

In de afgelopen weken had ik het zwaar. Eerst kreeg ik het ene virus na het andere. Ook een oogontsteking in beide ogen waardoor ik helemaal in paniek was want nu had ik niet alleen gedoe met mijn oren, maar ook nog met mijn ogen. Help! En ik heb een knieblessure opgelopen. Achteraf bekeken had ik in de afgelopen weken niet moeten hardlopen omdat mijn evenwicht niet goed is en daardoor de belasting op de knieën te groot is. Het zit allemaal niet echt mee. Hoe langer het duurt hoe moeilijker het wordt. Er is weinig verandering in mijn situatie, qua horen dan. De herrie in mijn oren gaat onverminderd door en zorgt ervoor dat ik moeilijk in slaap kan vallen. De wereld tolt als ik lig. De frustratie en vooral vermoeidheid door het hele kleine beetje wat ik hoor is groot. De inspanning om toch te proberen iets te volgen of het continu raden van wat er gezegd wordt vraagt veel energie.

Ik begon als organist en eerlijk is eerlijk, die psalmen en gezangen vielen me bar tegen. Ik vond het oersaai. Mijn vader was altijd bij mij boven bij het orgel wanneer ik moest spelen, omdat ik de dominee niet kon verstaan. Ik wist niet wanneer ik moest beginnen met een lied. We hebben daar leuke tijden gehad maar we hadden ook geregeld ruzie tijdens de dienst. Dan was het beslist geen 'peis en vree'. Mijn vader was mijn grootste fan en genoot van mijn orgel spelen. Hij kreeg vroeger ook orgelles, maar het ontbrak hem aan talent en discipline. Zijn muzikaliteit heeft hij op een andere wijze ingevuld door te zingen en te dirigeren. Later kwam er ringleiding in de kerk en ook boven bij het orgel, waardoor ik de dominee wel kon verstaan. Dat gaf mij meer ruimte en vrijheid.

Contacten met mensen verlopen anders, omdat de situatie langdurig is en er weinig verandering is. Ik merk dat mensen het lastig vinden om contact met mij te zoeken. Wat moet je zeggen? Dat begrijp ik ook. Toch mis ik het wel. Het voelt raar dat het nu zo anders is. Ik merk dat ik juist nu erg hang aan momenten van contact. Als ik bijvoorbeeld 's avonds in bed lig en een sms'je stuur naar Hans of mijn ouders dat ik ga slapen, dat ik dan een klein sms'je terugkrijg. Het gaat niet om de inhoud van de sms'jes, maar om het contact. Het gevoel even dichtbij te zijn. Dat heb ik nu meer dan normaal nodig. Ik beleef niet veel, ja in mezelf beleef ik veel te veel, maar buiten mijzelf niet zozeer.

Ik heb een redelijk grote vriendenkring. Mensen met wie ik wat heb en die wat met mij hebben. Daarin voel ik mij een rijk mens. De een zie ik maar een paar keer per jaar en de ander wekelijks. Ik doe met hen verschillende dingen. Met de een heb ik diepzinnige gesprekken. Met de ander sport ik of ga ik naar de sauna. Ze zijn me allemaal even dierbaar. Mijn huidige situatie van acute doofheid heeft ook effect gehad op vriendschappen. Vooral het feit dat ik niet kan bellen heeft negatieve gevolgen gehad. Zelfs nu er tal van andere mogelijkheden zijn zoals msn, e-mail of sms. De telefoon staat voor veel mensen toch op nummer een. Sommige contacten verlopen anders dan ik zou willen. Ik kan niet anders, dan het los te laten en me te focussen op de vriendschappen waar ik veel steun aan heb in deze tijd. Het delen met de ander van waar ik mee bezig ben, zorgt ervoor dat mijn doofheid lichter voelt. Wat ik belangrijk vind in vriendschappen is dat we over elkaar blijven nadenken en dat ook met elkaar delen. Ik kan mijn machteloosheid laten zien, zonder dat zij in paniek raken. Ze zijn er. Het voelt niet betuttelend, niet afhankelijk, maar goed en het geeft ruimte.

Na het leao ging ik naar het vhbo. Op die school kreeg ik een leraar Nederlands met een enorme baard en snor. Ik dacht: dit wordt helemaal niets. Ik kon niet liplezen, want ik zag alleen maar een bewegende snor en baard. Na mijn uitleg dat ik hem niet kon verstaan, omdat ik niet kon liplezen, zei ik dat er twee mogelijkheden waren: of deze leraar zou zijn baard en snor eraf kunnen halen, wat hem zeker niet zou misstaan dacht ik, of ik zou van leraar Nederlands kunnen wisselen. We hadden twee leraren die Nederlands gaven. De keus viel op een andere leraar. Op de vhbo liep ik tegen onbegrip van leraren aan. Er was één leraar die mij goed in de smiezen had, Gerlof heette hij. Hij nam het voor mij op, maar dat had niet altijd succes. Veel frustraties had ik daar. Ik moest voor het vak Engels voor spek en bonen meedoen aan luistertoetsen. Dat overviel mij en ik deed er ook nog aan mee. Vervolgens ben ik in tranen de klas uitgelopen. Toen ik verhaal ging halen, werd er niet naar mij geluisterd. Het Audiologisch Centrum kwam aan de leraren uitleg geven over mijn slechthorendheid en vertelde hoe zij rekening met mij zouden kunnen houden. Deze periode werkte als een boemerang. Alle ellende van de lagere school kwam weer terug. Nachtmerries, frustraties en boosheid. De periode op de lagere school wilde ik het liefste zo snel mogelijk vergeten. Dat lukte niet. Thuis werd ik dwars en boos. Ik schrok van mijn eigen reacties. Ik heb uiteindelijk psychologische hulp gehad om die periode een plek te geven en gewerkt aan mijn gevoel van eigenwaarde en zelfvertrouwen.

De gedachte die mij erg op de been houdt is: het is maar tijdelijk. Ook dit gaat weer voorbij. Wat helpt, is ervoor te zorgen dat ik elke dag iets heb waar ik naar uitkijk. Dat kan zijn: even naar de bibliotheek, naar het werk, school, sporten, schaatstoernooien op televisie kijken. Daarnaast zorg ik voor een bepaald ritme in mijn dag. Dat is voor mij belangrijk en dat gaat allemaal goed. De komende weken wil ik aan de slag om mijn conditie weer wat op peil te krijgen. Goed eten, slapen en bewegen.

februari 2009

Vandaag was het laatste onderzoek, de CT-scan. Al met al ben je dan ongeveer zes uren onderweg, heen en terug. De CT-scan duurde twee, hooguit drie minuten. Ik ben nog teruggelopen naar de mevrouw achter de balie omdat ik zo overrompeld was door de snelheid waarmee ik weer op de gang stond. Ik vroeg haar of het écht klaar was zo. Zij belde nog even naar de mensen van de scan en bevestigde dat de scan klaar was. Ik kon weer naar huis.

Het evenwichtsonderzoek liet zien dat beide evenwichtsorganen nagenoeg even 'goed' werken. Tenzij de CT-scan anders uitwijst, mag ik zelf een voorkeur uitspreken op welk oor ik het CI zou willen hebben. Ik kies voor mijn rechteroor. Deze voorkeur was eerst niet zo gemakkelijk aan te geven omdat er allerlei gedachten en gevoelens de revue passeerden. Mijn linkeroor is altijd het slechtste oor geweest en ook al hoorde ik er lange tijd wel mee, verstaan lukte al jaren niet meer. Dus ik kan me niet voorstellen dat ik met mijn linkeroor zou kunnen verstaan. Het rechteroor was altijd mijn beste oor. Die lijntjes van het gehoor naar mijn brein zijn het 'beste gesmeerd' denk ik. Wat ik er nu mee hoor, is niet van blijvende aard. Bovendien voegt het weinig positiefs toe. Het klinkt vals en vervormd. Dus voor beleving van muziek hoef ik het niet te houden. Ik wil ook geen afscheid meer van gehoor in de toekomst, dat heb ik vaak genoeg moet doen.
Straks met CI wil ik kijken naar de mogelijkheden. Ik zal nog genoeg verdriet hebben over wat niet meer lukt, maar dit verdriet kan een plek krijgen.

Ik vind dat ik het naar de omstandigheden goed doe. Waar ik last van heb is vermoeidheid. Vermoeidheid in mijn hoofd. De herrie in mijn hoofd is ongekend. Het vraagt veel energie daar zo rustig mogelijk onder te blijven. Het is moeilijk om in slaap te vallen en als ik wakker word 's nachts lig ik vaak een uur of twee uren wakker omdat de herrie zo enorm is.

Veel gebroken nachten dus, die er weer voor zorgen dat ik me labieler voel. Dat ik zomaar in tranen ben, zonder dat ik precies kan zeggen waardoor.

In mijn pubertijd werd mijn hals steeds dikker. Ik wist niet wat ik had, maar voelde mij niet lekker. Mijn T-shirts zaten strak om mijn hals. Mijn huisarts wilde mij niet verwijzen omdat zij dacht dat ik alleen uit cosmetische overwegingen een verwijzing wilde. Wat bleek: de schildklier zette alsmaar uit. Ik kreeg allerlei fysieke klachten. Wanneer ik naar school fietste had ik te weinig lucht en viel regelmatig flauw. Bovendien vond ik zo'n enorme bobbel niet mooi. Het was een kaakchirurg, die bij mij een kies moest verwijderen en mijn keel zag, die tegen mij zei: "Normaal gesproken bemoeien wij ons niet met elkaars vakgebied, maar als ik jouw hals zie denk ik dat jij als de sodemieter naar een internist moet gaan." Na veel gebakkelei kreeg ik een verwijsbrief voor Leeuwarden. Binnen de kortste keren was ik in het ziekenhuis in Groningen. Doordat de schildklier zo vergroot was, drukte hij de luchtpijp dicht. De schildklier werd operatief verwijderd.

Hoofdstuk 6

In deze heftige tijd zoek ik veel veiligheid, geborgenheid en warmte. Letterlijk en figuurlijk. Vanaf het begin ben ik tegenover iedereen open en eerlijk geweest over wat deze doofheid voor mij betekent. Ik ben duidelijk in wat ik nodig heb van de ander om 'te kunnen blijven staan'. Hierover ben ik zeer tevreden. Natuurlijk gaan er weleens dingen mis, maar over het algemeen gaat dat toch goed. Het voelt alsof ik niet anders kan dan open zijn. Tegelijkertijd voel ik me sterk en stevig. Openheid maakt niet alleen kwetsbaar. Misschien is het zo dat ik mij kwetsbaar kan opstellen juist omdat ik me ook sterk en stevig voel. Wat ik merk is dat openheid ook openheid kan uitlokken. Dit zorgt voor prachtige ontmoetingen via e-mail, sms of persoonlijk. Zo puur en oprecht qua vorm en inhoud.

Het gemis van mijn uitlaatklep, het orgel spelen, is zo groot dat ik er bijna niet zonder tranen over kan nadenken en over kan praten. Het doet mij zowat lijfelijk zeer. Als ik dan boven kom en ik zie mijn orgel staan dan breekt er wat vanbinnen. Zowel met het orgel spelen als met het oorsuizen probeer ik gedachten daarover te parkeren voor zover mogelijk. Ik weet niet wat een CI me daarin gaat brengen, dus vind ik het te vroeg om daar nu al een voorschot op te nemen. Ik kan nu denken: stel je voor dat deze herrie in mijn hoofd de rest van mijn leven blijft en mezelf met die gedachte gek gaan maken, maar wie weet verandert er straks iets, waardoor het minder zwaar wordt en er beter mee te leven valt. Dus waar mogelijk parkeer ik die gedachten. Op andere vlakken ben ik wel bezig met afscheid nemen van hoe het klonk. Afscheid van stemmen zoals ik ze in mijn herinnering heb, van geluiden, van hoe de wereld tot 5 oktober in mijn oren klonk. Ik weet niet wat ik terugkrijg met een CI. Wat vaststaat, is dat het anders zal klinken.

Werk is belangrijk voor mij. Ik houd van mijn werk en beleef er veel plezier aan. Nu heb ik in mijn werk ook te maken met groepen. Bijvoorbeeld het team waarin ik werk bestaat naast mij uit allemaal goedhorenden. Het is belangrijk dat ik mijn collega's vertel wat ik van ze nodig heb en dat blijf herhalen. Mijn stelling is: wanneer ik merk dat mensen hun best blijven doen om zich verstaanbaar te maken voor mij, vind ik het niet erg om dingen steeds te blijven herhalen. Je kunt het namelijk niet aan mij zien dat ik niet goed hoor. Wanneer ik merk dat mensen gewoon niet naar mij luisteren en ik mij werkelijk afvraag wie er nu slechthorend is, dan kan ik weleens uit mijn slof schieten. Sommige voorzitters van teams hebben een geheel eigen visie. Die roepen tijdens de vergadering: "Jongens, laten we even niet door elkaar heen praten, want anders kan Elske het niet verstaan." Dat zij dan zelf ook niet meer goed naar elkaar luisteren en elkaar goed kunnen volgen, lijkt van ondergeschikt belang te zijn. Sterker nog: het valt ze niet eens op.

Ik ben de afgelopen dagen met Hendrika in Bangkok geweest. Het was een indrukwekkende reis en een geweldige ervaring! Sowieso was het bijzonder om samen met Hendrika te gaan en haar ook aan het werk te zien als stewardess. Daarnaast kon ik alles van mij afzetten. Haar collega's waren op de hoogte van mijn doofheid en ontzettend aardig voor me. Het was spannend of ik met Hendrika mee kon, omdat ik alleen door zou gaan wanneer er nog een plekje in het vliegtuig over was. Ik had een zogenaamd IPB-ticket (indien plaats beschikbaar). Het zag er somber uit, want de vlucht was in principe overgeboekt. Hendrika was al in het vliegtuig aan het werk, bezig met de voorbereidingen voor de vlucht. Ik hield haar per sms op de hoogte en stond nog bij de incheckbalie te wachten. Uiteindelijk kreeg ik groen licht. Er was nog één plek vrij. Ik ging mee! Het was zo onwerkelijk om in het vliegtuig te zitten en voor drie dagen naar Bangkok te gaan. In Bangkok werd ik opgeslokt door zo'n andere wereld dat ik simpelweg geen ruimte had in mijn hoofd om stil te staan bij het feit dat ik doof was. Hendrika regelde alles waarbij gecommuniceerd moest worden, zodat ik die energie daar niet in hoefde te steken. We hebben drie geweldige dagen gehad. Mijn doofheid was er alleen wanneer ik iets niet kon verstaan maar wanneer er niet gesproken werd, was mijn doofheid er niet. Ook niet in mijn denken. Er was zoveel te zien, te ruiken, te proeven en te ervaren dat er simpelweg geen ruimte voor mijn doofheid was. Even helemaal los van alle sores. Totaal ergens anders zijn. Op de terugreis in het vliegtuig ben ik verwend door de crew en ik kwam thuis met het gevoel alsof ik weken weg was geweest. Heerlijk!

Ik ben bezig met school, ik volg de opleiding tot haptotherapeut. De dagen dat ik naar school ga kosten veel energie maar ik krijg er ook veel voor terug aan ervaringen en inzichten. De docenten en medestudenten zijn zeer begripvol en verlenen volop hun medewerking. Hartverwarmend. Nu heb ik ook de beste en liefste tolk die je kunt wensen, die het volgen van de lessen voor mij mogelijk maakt.

Sinds het jaar 2000 ben ik werkzaam als maatschappelijk werker. Een prachtig vak. In de periode dat ik vooruitliep op de situatie van een steeds slechter wordend gehoor, wilde ik ook iets qua werk en/of opleiding ondernemen. Een baan als maatschappelijk werker bestaat voor het allergrootste deel uit luisteren. Ik zou mij voor kunnen stellen dat ik in de toekomst een beweging wilde maken naar minder uren maatschappelijk werker zijn en dat te combineren met iets geheel anders. Bij haptotherapie wordt beduidend minder gesproken en meer gedaan.

In het maatschappelijk werk komen we vaak mensen tegen die min of meer vervreemd zijn geraakt van hun gevoel. Zij 'zitten in hun hoofd' en hebben kopzorgen. Om te werken aan deze kopzorgen is het belangrijk ook te kunnen voelen wat er leeft en welke wensen en verlangens iemand heeft. Ik ben nu tweedejaars student aan het ITH (Instituut voor Toegepaste Haptonomie). Ik kwam haptotherapie op het spoor door verhalen van mensen om mij heen. Vervolgens las ik er een boek over en uiteindelijk ben ik zelf naar een haptotherapeut gegaan. Deze ervaring was doorslaggevend in mijn keuze voor de opleiding tot haptotherapeut. Een van de bijzondere momenten in deze therapie was dat de therapeut mij inzicht gaf in mijn houding naar mijn oren en mij dat ook liet ervaren. Ik sprak over mijn oren als delen van mijn lichaam die ik niet kon vertrouwen, die mij herhaaldelijk in de steek lieten, kortom: oren die hun werk niet goed deden. Ik had hem verteld dat uit onderzoek bleek dat mijn oren, in vergelijking met 'normale' oren er vanbinnen behoorlijk misvormd uitzagen. Het slakkenhuis was niet compleet. Er zaten holtes waar normaal geen holtes zitten. De haptotherapeut zei tegen mij: "Je kunt het ook omdraaien. Het is een wonder dat je hoort wat je hoort als je weet hoe jouw oren er vanbinnen uitzien. Je oren werken keihard om de wereld van geluid voor jou zo goed mogelijk binnen te brengen." Dat was voor mij een totaal nieuwe benadering die direct bodem vond in mijn hart. Ten slotte vroeg hij mij wat ik van hem wilde. Ik vroeg hem of hij mijn oren wilde aanraken. Dat deed hij. Doordat het zo'n liefdevolle aanraking was, kon ik goed voelen, hoezeer ik mijn oren tekort had gedaan en ook hoe blij ik met mijn oren was. Ik ben daarna veel beter voor mijn oren gaan zorgen, letterlijk en figuurlijk. Ik vind dat ik prachtige oren heb. Ik heb geprobeerd mijn oren te ontzien waar mogelijk, zodat ze hopelijk nog jarenlang mee zouden gaan.

Haptonomie en haptotherapie

Haptonomie is afgeleid van het Griekse hapsis (tast, gevoel) en nomos (wet, regel). De haptonomie gaat ervan uit dat mensen een liefdevolle, ondersteunende en waarderende omgeving nodig hebben om zich te kunnen ontwikkelen tot een open en vrij persoon. Haptotherapie is een toepassingsgebied van haptonomie. Het wordt gebruikt als het mensen ontbreekt aan die liefdevolle, stimulerende omgeving.

Haptotherapeuten stimuleren en ondersteunen mensen in een gezonde ontwikkeling. Daarvoor maken ze gebruik van diverse middelen, waaronder aanraking. Dit is niet alleen lichamelijke aanraking, het gaat ook om mentale aanraking: je raakt iemand door hem aan te spreken in zijn gevoel en zijn beleving.

Mensen hebben behoefte aan aandacht en waardering om als volwaardig mens te kunnen leven. Helaas ontbreken die te vaak, waardoor blokkeringen kunnen ontstaan. Die veroorzaken op hun beurt weer allerlei problemen, zoals spanningen, een onveilig gevoel, onzekerheid, verlegenheid, onmacht om gevoelens en belevingen te uiten. Het gevolg is een beperking in de omgang met andere mensen.

In de haptotherapie leren mensen hun grenzen te openen en te verleggen. Daardoor ontstaat meer ruimte voor beweging, en dus ook voor ontmoeting met andere mensen, zonder terughoudendheid of beperking. Haptotherapie biedt een weg naar een vrijer mens-zijn.

Haptotherapie is erop gericht de cliënt weer in contact te brengen met zijn gevoel, en daarmee met zichzelf en zijn omgeving. De haptotherapeutische aanraking betekent een wezenlijke ontmoeting. De cliënt (her)ontdekt wie hij in wezen is en wat hem bezielt. Haptotherapie biedt ondersteuning in de ontwikkeling of het herstel van het eigen evenwicht.

(bron: www.ith-haptonomie.nl)

14 maart 2009

Nog tien dagen en dan is het zover. Ik ben aan het aftellen. Maandag heb ik nog een gesprek met de coördinator van het CI-team en breng ik een bezoek aan de narcotiseur. De maandag daarop is de dag van opname, de volgende dag, dinsdag 24 maart, de operatie en de dag erna mag ik weer naar huis. Tijdens de operatie wordt het inwendige deel, het implantaat, ingebracht. Na de operatie moet alles helen en herstellen. Dat duurt ongeveer vijf weken. Ik hoop dat het mee zal vallen wat betreft mogelijke evenwichtsproblemen. Daar zie ik nog meer tegenop dan de operatie. Wat ik van anderen hoor, is dat het qua pijn zeker meevalt. Het is eerder hinderlijk omdat je niet op die zijde kunt liggen en er wordt veel gesproken over jeuk. Dit komt door de tulband die je om je hoofd hebt na de operatie. Na de vijf weken kan het uitwendige deel, de spraakprocessor, worden aangesloten. Dan volgt er een intensieve periode van revalidatie. De apparatuur wordt afgeregeld, hetgeen in stappen gaat. De gehoorzenuw moet erg wennen aan de nieuwe elektrische stimulatie. Het afregelen gebeurt in Nijmegen. De hoortrainingen worden gedaan in Sint-Michielsgestel. In de eerste periode gebeurt dat twee keer twee dagen. We logeren dan daar in een logeerhuis.

Hoofdstuk 7

Het jaar 1994 was een bizar jaar. In januari van dat jaar werd ik voor de tweede keer in mijn leven plotsdoof. Ik was twintig jaar, woonde op kamers in Zwolle en was in de kerstvakantie thuis bij mijn ouders. In die week kreeg ik last van hoge pieptonen in mijn hoofd en oren. Nu en dan was het gepiep weg maar het kwam steeds weer terug. Er waren momenten waarop ik een stuk minder hoorde dan normaal. Ik werkte in de vakantie bij de thuiszorg. Ik deed huishoudelijk werk bij oudere mensen. Zo kwam ik ook bij meneer Dijkstra. Hij speelde zelf viool en was ook een grote fan van orgelmuziek. Hij sprak er met zoveel liefde over, dat ik mij bij hem erg op mijn gemak voelde. Het klikte en ik zocht hem de zaterdags voordat ik doof werd thuis op. Tijdens dat bezoek hebben we ook gesproken over mijn gehoor. Ik vertelde hem dat ik het verschrikkelijk zou vinden als ik mijn gehoor zou verliezen. Niet wetende dat dit de volgende dag werkelijkheid zou worden.

De volgende dag, zondagmorgen, zou ik orgel spelen in de kerk. Mijn vader maakte mij wakker. Ik deed mijn hoorapparaat in en toen kwam er niets. Ik dacht: de batterij is leeg. Nieuwe batterij erin, maar weer was er geen geluid. Uiteindelijk drong het tot me door dat ik doof was. In paniek ging ik naar de slaapkamer van mijn ouders en riep dat ik doof was.

De eerste dove week ben ik thuis bij mijn ouders gebleven. De artsen hoopten dat het gehoor net als tien jaar geleden uit zichzelf zou terugkomen. Na de kerstvakantie ben ik naar school gegaan om te vertellen dat ik doof was en dat ik zolang ik doof was niet naar school kon gaan. Vervolgens heb ik spullen opgehaald uit mijn kamer en ben weer teruggegaan naar mijn ouders.

Er veranderde niets. Na een week was ik nog steeds doof. Uiteindelijk gingen we naar het ziekenhuis. Ik moest daar blijven. Allerlei onderzoeken werden gedaan, maar er werd niets gevonden. De artsen *besloten mij prednison te geven. Een paardenmiddel. Mogelijk zou dat soelaas bieden. Vanuit verschillende ziekenhuizen in Nederland bemoeide men zich met mij. Het ene ziekenhuis zei dat prednison niets zou helpen en het andere zag daar juist wel heil in. Ik moest opgenomen worden, omdat de dosering prednison erg hoog was en ik last van bijwerkingen zou kunnen krijgen. Ik heb drie weken in het ziekenhuis gelegen en was nog steeds stokdoof. Het waren rare weken. Ik was immers niet ziek. Tijdens deze acute doofheid hoorde ik voor het eerst over een cochleair implantaat.*

Naast afscheid nemen ben ik bezig met het inluiden van een nieuwe periode. Ik ga de mooiste oorbellen kopen die ik kan vinden. Ik zie ernaar uit om het CI aan mijn mp3-speler te pluggen en bijvoorbeeld een gesproken boek te gaan beluisteren. Ha ha, daar kan ik mij werkelijk niets bij voorstellen. Of dat ik straks mogelijk mobiel kan bellen. Dat heb ik nooit goed kunnen verstaan. Ik lees op internet dat veel mensen toch heus mobiel kunnen bellen. Dat is wel iets om naar uit te kijken. Dus ik krijg er steeds meer zin in.

Er kwam vaak en veel bezoek in het ziekenhuis. Ik kreeg daar veel post, wat altijd een hoogtepunt was van de dag. Wanneer er bezoek was, werd alles opgeschreven. Kladblokken vol. Ik vond het zo fijn dat er mensen kwamen, want ik hoefde niet op bed te liggen en zonder bezoek waren de dagen lang. Arie was voor mij erg belangrijk. Hij en zijn vrouw Baukje zijn vrienden van mijn ouders. Arie kon, zonder dat hij het zelf in de gaten had, voor mij alles op een rijtje zetten door zijn vragen. Hij was altijd optimistisch en had een bijna vanzelfsprekend vertrouwen in mij en dat gaf mij een enorme boost. Hij heeft een rust om zich heen, iets wat in zo'n situatie heerlijk is om bij in de buurt te zijn. Als Arie op bezoek was geweest kon ik er weer tegenaan.

Maandag, toen we eenmaal onderweg waren naar Nijmegen, voelde ik mij heel rustig. Dat is zo gebleven tot de operatie. 's Avonds kreeg ik nog allemaal sms'jes van mensen. Die heb ik niet meer van tevoren gelezen. Het zijn dan wat emotioneel beladen berichtjes. Hoe lief ook bedoeld, maar ik wilde de rust die ik had houden. Ik heb die nacht goed geslapen. Ze scheren het haar van je hoofd, wanneer je onder narcose bent. Dat pakken ze daar wel slim aan. Dan heb je niks geen gedoe met huilende vrouwen die in de stress schieten door de hoeveelheid haar die er wordt afgeschoren. Toen ik klaar was voor de narcose legden ze me uit dat ik zuurstof zou krijgen en dat de narcose dan via het infuus zou worden toegediend. Een lieve vrouw aaide mij over mijn wang en zei toen: "Ik zal heel goed voor je zorgen." Toen zou ik gaan huilen, maar dat kon niet meer want de narcose zorgde voor een hele diepe slaap.

De operatie is goed geslaagd. Alle elektroden zijn geplaatst en de metingen tijdens de operatie lieten zien dat ze het allemaal doen. Aangezichtszenuw, smaak en evenwichtsorgaan: allemaal onbeschadigd. Ik heb geen last van duizelingen. Alleen maar pijn. Daarvoor slik ik pijnstillers om de scherpe kantjes er wat af te halen. Terug op de verpleegafdeling had ik alweer wat praatjes. Geen last van mijn evenwicht. Geen last van misselijkheid. Wat een weelde. Toch had ik niet verwacht dat het qua pijn zo heftig zou zijn. De artsen zeiden dat de pijn na de operatie over het algemeen meeviel. Voor mij dus niet. Het is een stekende, zeurende pijn. In het ziekenhuis kreeg ik injecties daartegen wat als voordeel heeft dat het direct zijn werk doet. Nu thuis zal het met behulp van alle paracetamollen elke dag weer wat beter gaan. Ik draag een drukverband om mijn hoofd om alles op zijn plek tot rust te laten komen. Dit wordt volgende week woensdag verwijderd. Dan gaan de hechtingen eruit. Tot nu toe overheerst de pijn de jeuk. Gisteren zat ik hier, voor mijn gevoel nog zo stoned als een garnaal op de bank. Doordat ik niet met mijn hoofd op een kussen kan liggen, moet ik een beetje zittend slapen. Ik wissel de slaap af met kopjes thee en pijnstillers. Het oorsuizen is in heftigheid toegenomen. Daar staat tegenover dat ik met name op de eerste dag na de operatie in het ziekenhuis een paar momenten heb gehad van telkens een paar seconden waarop er geen oorsuizen was. Dat was onvoorstelbaar heerlijk! Dat raakte me zo, juist omdat ik weer even kon ervaren hoe het was zonder herrie in mijn hoofd. Ik ga ervan uit dat deze wond eerst moet helen. Mijn hoofd moet ook wennen aan alle nieuwe onderdelen, dus dat oorsuizen is geen status-quo. Dat kan honderd keer anders worden. Ik kan niet snuiten, bukken en tillen. Ik kan zelfs geen kracht zetten met mijn arm, bijvoorbeeld als ik de jampot open wil maken. Dat trekt dan naar mijn oor en dat doet pijn aan mijn hoofd en oor. Afgelopen nacht vergat ik even dat ik niet kon snuiten en toen verging ik van de pijn. Dus dat doe ik niet weer voorlopig. Al doende leert men.

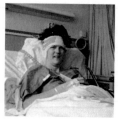 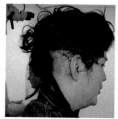 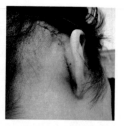

De avonden en nachten in het ziekenhuis duurden lang. Ik had problemen met slapen. Of ik kon niet in slaap komen of ik werd midden in de nacht wakker en kon de slaap daarna niet meer vatten. Ik piekerde veel. Een keer op een avond zag ik het allemaal niet meer zit-

ten en moest erg huilen. *De andere dames op de zaal sliepen al. Een zuster kwam om mijn infuus af te koppelen. Ze bleef vijf minuten op mijn voeteneind zitten en na die minuten stond ze op en schreef op mijn kladblok: 'sterkte' en liep de zaal weer uit. Ik heb mij zelden zo alleen en verlaten gevoeld als op dat moment.*

In die tijd was ik bevriend met Tineke en zij kwam bijna elke dag. Ze smokkelde dan lekkere dingen het ziekenhuis in. Een patatje, kroketje of een pizza, alles was mogelijk. Zij had zo haar connecties, zo kende zij ook een portier van het ziekenhuis. Dat had als groot voordeel dat ze weleens binnenkwam wanneer het bezoekuur al afgelopen was.

De eerste echte confrontaties met mensen die niets kunnen met hun dove medemens kwamen al in het ziekenhuis. Drama. Twee keer per week werd er een hoortest gedaan. Ik voelde mij daar altijd erg knullig bij. Je krijgt een koptelefoon op en je moet op een knopje drukken als je iets hoort. Ik hoefde nooit te drukken. Ook moest ik eens een woordtest doen terwijl ik niets hoorde. Ik stond perplex en deed ook nog mee. Ze schreef op: 'Spreek de woorden na die je kunt verstaan. Hoor je niets, dan hoef je niets te zeggen.' Zo'n situatie overviel mij en ik nam mij stellig voor dit een volgende keer te weigeren.

Ik zag mijn wereld instorten, net nu het allemaal zo lekker ging. Op school was het goed, ik had vrienden, ik woonde pas op kamers en ineens stond mijn leven op zijn kop. Het waren rare weken omdat het zo bizar was dat ik niets hoorde, terwijl ik wel wist wat ik had moeten horen. Als er iets op de grond viel, dan wist ik dat het geluid maakte, maar ik hoorde niets. Mensen die praatten en ik zag alleen maar bewegende lippen. Het voelde alsof ik in een luchtbel zat. Ik zat in een wereld die ik niet kende en de voor mij bekende wereld met geluid was zo dichtbij en toch zo onbereikbaar. Ik kon niets doen om het herstel van mijn gehoor te beïnvloeden, wat een enorm gevoel van machteloosheid met zich meebracht.

Er kwamen in het ziekenhuis momenten dat ik mij kenbaar moest maken als 'ik ben doof'. Ik kon natuurlijk niet zeggen: 'ik hoor eventjes niets', dat zou nergens op slaan. Op een keer kwam ik bij

de hoortest vandaan en wachtte op de lift. Er kwam een vrouw naar
mij toe. Ze zei iets tegen mij. Ik verstond haar niet en zei: "Ik ben
doof, maar wilt u het even opschrijven?" Ze zei: "Nee, ik vraag wel
iemand anders." Dat kon ik liplezen. Ik kwam overstuur terug op de
afdeling.

1 april 2009

'O when the Saints go marching in', 'Nederland o Nederland, jij bent de kampioen', 'Ere zij God', 'Zij leve hoog zij leve hoog', 'Lang zal ze leven', 'Hoor de englen zingen d'eer', ''k Heb een tante uit Marokko', muziek van André Rieu, alles komt weer voorbij. On-voor-stel-baar.

Vanaf zaterdag is het weer de muzikale fruitmand in mijn hoofd. Zondagochtend werd ik wakker met een in slow motion 'Nederland o Nederland'. Nu had Nederland de avond ervoor van Schotland gewonnen, dus ik kon er nog enigszins om lachen maar het was wel een rare manier van wakker worden. Nu ik dit schrijf is het weer 'O when the Saints' met orkestbegeleiding met alles erop en eraan. Niet zachtjes, nee werkelijk snoeihard. Je houdt het niet voor mogelijk. Ik zeg dan weleens tegen Hans, als jij je hoofd naast dat van mij houdt, moet je het kunnen horen. Hans luistert aandachtig maar hoort niets natuurlijk. Ik reken op verandering in dit oorsuizen.

De pijn neemt langzaamaan in heftigheid wat af. De vermoeidheid is nog wel een belangrijke factor want het slapen is moeilijk. Allemaal gebroken nachten. Ik troost mij dan met de gedachte dat er miljoenen mensen slecht schijnen te slapen en dat ik niet de enige ben die aan het woelen is. Wat mij ook helpt, is te bedenken wie er allemaal aan het werk zijn 's nachts. Ik ben blij wanneer het licht wordt buiten en de nacht voorbij is. De wereld ziet er 's nachts toch anders uit dan overdag. Zowel letterlijk als figuurlijk. De jeuk is bij vlagen niet uit te staan. Heus, ik denk nu werkelijk te weten hoe een kat zich voelt die vlooien heeft. Mijn poezen heb ik deze week gauw weer een vlooienpipetje gegeven.

Gisternacht dacht ik: ik heb me echt een oor aan laten naaien! Vandaag ben ik weer naar Nijmegen gegaan. Het verband is eraf gehaald en de hechtingen zijn eruit. De arts was dik tevreden en ik zelf vond het er ook prima uitzien. In het ziekenhuis ben ik gelijk naar de kapper gegaan. Daar heb ik mijn haren laten wassen en drogen, voordat we weer terugreden naar huis. Heerlijk. Weer een stap verder.

Tegenover mij lag een vrouw. Zij lag de hele dag met een walkman op haar hoofd op bed. Ik herinner mij nog dat ik bij de eerste keer dat ik haar zag dacht: ik wil ook een walkman. Om mij een paar seconden later te realiseren dat het niet mogelijk was. Misschien wel nooit meer. Ik hoopte dat mijn droom om een orgelconcert te geven ooit nog eens uit zou komen. Het was te vroeg om de hoop op te geven, maar reden tot optimisme was er ook nog niet.

Ik was boos en gefrustreerd. Huilen was toegestaan, maar met borden smijten niet. Met mijn boosheid kon ik geen kant op. Tissues zijn veel goedkoper natuurlijk. Met mijn ouders, zus, vrienden en vriendinnen had ik veel fysiek contact. Er werd wat afgeknuffeld. Dat gaf meer een gevoel van 'dichtbij zijn' dan schrijven. Schrijven confronteerde mij met dat wat ik niet kon. Knuffelen was voor mij en de ander dezelfde taal.

Er waren mensen die mij vroegen of doof zijn ook betekende dat het helemaal stil was. Dat was niet zo. Er was veel lawaai in mijn hoofd. Soms had ik het gevoel dat er een aquarium in mijn hoofd zat en een andere keer hoorde ik tien krijsende baby's in mijn hoofd. Van stilte was geen sprake. Ik vond dat niet erg.

Het oor voelt nog niet als van mij, maar het is 'm toch heus. Mijn oor voelt zo raar. Ik schrik steeds als ik eraan kom. Ik zei tegen Hans: "Het voelt als het oor van jouw vader toen hij overleden was." Nadat zijn vader was overleden hebben wij hem met ons allen afgelegd en mooi gemaakt.

Ik voel me wisselend. Aan de ene kant word ik nu erg bepaald bij mijn fysieke ongemak, waardoor het mentale stuk wat op de achtergrond is. Aan de andere kant kan ik zomaar in huilen uitbarsten zonder dat ik zelf begrijp waardoor die huilbui getriggerd wordt. Ik laat het allemaal maar wat gebeuren en snotter deze en gene wat onder. Vaak is dat geen probleem. Het was ook wel grappig. Wanneer ik met mensen sprak op straat bijvoorbeeld, zaten veel van hen gelijk aan hun hoofd te kriebelen. Ik dacht: ze stemmen écht op me af. En dan begon het bij mij ook weer te jeuken.

Voorlopig mag ik nog niet sporten. Nog vier weken wachten. Vanbuiten is nu alles mooi dicht, maar vanbinnen moet het nog verder helen. De druk op de oren moet nu zoveel mogelijk vermeden worden. Ik heb pijn met eten, gapen, niezen, snuiten, bukken, tillen en soms voor mijn gevoel vanuit het niets heel erge steken. Ik kan het met pijnstillers nu steeds beter onder controle houden. Kan de tijd overdag wat oprekken voordat ik weer een pijnstiller neem. Nu en dan vraagt Hans of het oor nog steeds van zijn vader is of dat het al iets meer van mij voelt. We hebben er wel lol om samen. Zo gaat het elke dag weer een beetje beter.

Het allerergste was toch wel dat het moment kwam waarop ik mij realiseerde dat alles uiteindelijk fantasie werd. Allerlei geluiden kon ik mij niet meer goed herinneren. Op een gegeven moment wist ik dat de stem van mijn mem (vert.: moeder) niet meer klopte met de werkelijkheid, maar ik kon het niet meer bij mezelf oproepen. Niemand kon mij meer vertellen hoe de stem van mijn moeder klonk. Het was ongrijpbaar geworden. Ik wist niet meer hoe zij klonk. Het was alsof ik een wezenlijk stuk van mijn moeder verloor, alsof ze een stukje dood was gegaan. Vreselijk. Dat gebeurde niet alleen bij de stem van mijn moeder, maar ook bij stemmen van andere dierbare mensen om mij heen. Zelfs de liedjes die ik eerst nog weken in mijn hoofd kon horen verdwenen uit mijn geheugen. Er kwamen steeds meer momenten dat ik niet meer wist hoe het liedje verder ging. Ik was in die tijd fan van Eric Clapton en in de ban van het liedje 'Layla'. In mijn hoofd zong ik dat vaak. Tot de dag kwam dat ik niet wist hoe het liedje verder ging. Ik kon het niet meer bedenken en niemand kon mij dat vertellen. Mensen die ik nog niet eerder had ontmoet, kregen in mijn hoofd een stem. Verpleegsters die ik niet kende, daar bedacht ik een stem bij. Of wanneer er iets op de grond viel en ik zag dat, dan verzon ik zelf een geluid dat daarbij paste. Dat gebeurde zonder dat ik dat kon sturen. Alles werd fantasie. Zowel de werkelijkheid als de fantasie. Verschrikkelijk vond ik dat.

Het grote nieuws is dat ik op 14 april word aangesloten op de spraakprocessor. Dat is het uitwendige deel van een CI. Het lijkt op een hoorapparaat. Dan krijg ik de eerste afregeling. Zo noemen ze dat. Ik vind het zo spannend. Wat ga ik horen? Zijn het eerst maar geluidjes en kan ik er nog niets van maken? Of kan ik al iets meer dan dat? Het is afwachten. Ik ben natuurlijk aan het fantaseren over hoe dat zal zijn. Nu hoor ik niets. Dat geeft gek genoeg even rust. Het is rustiger wanneer ik niks hoor, dan een héél klein beetje.

Met de afregelingen zal het volume langzaam worden opgevoerd. De hoorzenuw moet eraan wennen en er worden programma's gemaakt, waarmee ik tijdens de revalidatie ga trainen. Zo gaat het stapsgewijs. Op 20 en 21 april hebben Hans en ik de eerste revalidatiedagen in Sint-Michielsgestel. Het gaat snel allemaal. Ik hoorde in het ziekenhuis nog dat het meestal uitkomt op ongeveer een jaar voordat ze aan opereren toe zijn. Ik heb op 30 oktober mijn aanmelding en intake gehad en nu binnen zes maanden ben ik geopereerd, heb ik de aansluiting en start de revalidatie. Joepie.

CI-afregeling.

Eerst iets over de techniek. Een jong en gezond mensenoor kan 20 tot 20.000 trillingen per seconde horen. Of technisch geschreven, 20 Hz tot en met 20 kHz. Hz is de afkorting van Hertz en de k van kHz staat voor kilo, wat 1000 betekent. 1Hz is dus 1 trilling per seconde (voor een mens niet hoorbaar) en 1 kHz, spreek uit 'één kilohertz', is 1000 trillingen per seconde.

Om de gedachten te bepalen: de A rechts van de 'centrale C' op een klavier heeft een grondtoon met een frequentie (aantal trillingen) van 440 Hz. De A een octaaf lager heeft een grondtoon van 220 Hz. Een octaafsprong is dus een verdubbeling of halvering van de frequentie (aantal trillingen).

Het horen van hoge tonen zal bij ouder worden afnemen. Dit is een normaal proces en het overgrote deel van de vijftigplussers zal die 20 kHz dus niet meer horen. Deze afname is bij mannen groter dan bij vrouwen.

Bij muziek komen ook alle frequenties tussen 20 Hz en 20 kHz voor, maar bij spraak is dat niet zo. Spraak speelt zich normaal af tussen 150 Hz en 6 kHz. Een telefoon laat zelfs alleen de trillingen tussen 300 Hz en 3 kHz door, zonder dat de verstaanbaarheid daar erg onder lijdt. De hoge tonen worden weggelaten om economische redenen en daarom klinkt muziek over een telefoonlijn dus ook superlullig en vlak. Terug naar het CI.

Het is een techniek die in de kinderschoenen staat en puur gericht is op spraak verstaan. Dat betekent dat alles wat boven spraak uitgaat bij een CI weggelaten wordt. Een CI lijkt wel wat op een telefoon. Er is voor gekozen om alles boven 6 kHz weg te laten. Het is technisch gezien al moeilijk genoeg dus: laat weg wat je toch niet kunt gebruiken of benutten. Verder zit je nog met een praktische beperking. Het blijkt bij de implantaatoperatie niet mogelijk om de elektrodes dieper dan anderhalve winding in het slakkenhuis te frutselen. Het slakkenhuis is twee en een halve winding lang ... De lage tonen spelen zich af in dat stukje slakkenhuis waar je met de elektrodes niet kunt komen. Dat houdt in dat alles beneden pakweg 500 Hz onhoorbaar is. Een CI werkt dus van 500 Hz tot 6 kHz. Voor mij betekende dat een verdubbeling van mijn gehoorbereik omdat mijn krakkemikkige slakkenhuis in combinatie met een hoortoestel maar tot 3 kHz kwam. Er zou dus een wereld aan nieuwe geluiden voor mij opengaan.

Tijdens de operatie worden bij een Advanced Bionics CI, zestien elektrodes in het slakkenhuis geschoven. Die elektrodes kun je zien als zestien metalen ringetjes verdeeld over een rubber slangetje. De draadjes om die elektrodes aan te sturen lopen door dat rubber slangetje naar de ontvangspoel die onder de huid achter het oor is gelegd.

Als je nu het bereik van een CI, 5500 Hz, deelt door het aantal elektrodes dan krijg je zestien gebiedjes van ongeveer 350 Hz. Als je de elektrode die het diepst in het slakkenhuis ligt elektrode 1 noemt, dan moet die alles weergeven van 500 Hz tot 850 Hz. Elektrode 2 verhapstukt het gebied van 850 Hz tot 1200 Hz. Zo komt er met elke elektrode 350 Hz bij, tot je met elektrode 16 bij 6000 Hz bent aangekomen.

Bij het afregelen (eindelijk!) komt het er nu op aan de zestien elektrodes per stuk zo af te regelen dat het klankbeeld voor de gebruiker zo helder en natuurlijk mogelijk wordt. Iedere elektrode heeft dus zijn eigen minimum en maximum qua sterkte. Het is alsof je aan een equalizer (wellicht bekend van je audioversterker) met zestien regelaars zit te schuiven tot alles goed verstaanbaar en prettig is. Wat meer hoog met elektrodes 14, 15 en 16 of het middengebied wat minder nadrukkelijk door elektrodes 8 en 9 wat zachter te zetten ... "Zo klinkt het wat dichterbij. Ai, dit doet pijn en ik krijg slikneigingen ... Dit voel ik wél maar ik hoor het niet."

De mogelijkheden zijn legio en het is dus best een lastig proces. Wanneer je hebt besloten: zo moet het, zit je er weer voor een tijdje aan vast tot de volgende afregeling.

Daarnaast heb je te maken met een nieuwe manier van prikkelen van de gehoorzenuw. Alles went en ook die zenuw reageert in het begin heftiger op de prikkelingen dan later. Dat houdt in dat na verloop van tijd het geluid bij gelijkblijvende prikkeling zachter wordt. Niet iedere plek in het slakkenhuis reageert gelijk, dus ook het klankbeeld verandert. Het middengebied verandert bijvoorbeeld sterker dan het hoog, en het laag volgt weer een ander patroon. Dit maakt dat in het begin een afregeling al in een paar dagen kan verlopen en niet meer prettig is. De tweede afregeling komt al een week na de eerste. De derde afregeling twee weken na de tweede en zo gaat het proces verder. Uiteindelijk kom je op één keer per jaar uit, onvoorziene omstandigheden daargelaten.

Dit klinkt allemaal als een standaardrecept voor een succesvolle afregeling, maar helaas.

Niet ieder mens is hetzelfde en dus ook niet ieder oor. De mate van succes met een CI is sterk afhankelijk van allerlei persoonsgebonden zaken. Is je gehoorzenuw 100% intact? Kunnen alle elektroden bij de operatie ingebracht worden of ontstaan daar problemen? Ben je doof geboren? Heb je wel goed leren spreken doordat je slechthorend was en niet doof? Hoe sterk is je wil om een CI optimaal te leren gebruiken? Hoor je nog iets met je andere oor? Hoe lang ben je al volledig doof? Hoe goed is je auditieve geheugen? Heb je goede therapeuten en co-therapeuten? Niet ieder boekt dezelfde resultaten met een CI en dit kan variëren van teleurstellend slecht tot onverwacht goed. In verreweg de meeste gevallen pakt een en ander positief uit.

De afgelopen dagen kwam ik drie mensen tegen die nog niets van mijn situatie wisten en met wie ik was verbonden door het orgel spelen. Dat triggerde al mijn verdriet over dat ik al zo lang niet kan orgel spelen en het ontzettend mis. Het is bijna niet in woorden uit te drukken wat orgel spelen voor mij betekent en welke rol dat altijd in mijn leven heeft gespeeld.

Ik heb via internet een atelier gevonden waar ik binnenkort ga beeldhouwen. Dat is een atelier waar je onder andere kunt beeldhouwen rondom verliesverwerking. Ik wil een beeld maken wat mijn proces symboliseert, het verlies van hoe het was maar ook de verwondering van mijn nieuwe horen straks met een CI. Het past goed bij de periode van revalideren. Op basis van die ervaring wil ik kijken of ik er op langere termijn iets mee wil gaan doen.

Ik zoek toch naar een andere uitlaatklep zolang orgel spelen niet kan. Nog vijf dagen en dan is het zover, dan krijg ik de aansluiting. Ik ben zo benieuwd. De champagne staat al koud om het eerste geluid te vieren. Hier kan ik natuurlijk uren over fantaseren en dat doe ik ook. Ondanks alle waarschuwingen voor teleurstellingen bij de eerste aansluiting. Voor het eerst van mijn leven kan ik straks mijn gehoor zelf positief beïnvloeden! Door veel en goed te oefenen ga ik straks steeds beter verstaan. Dat is geweldig. Ik mail sinds een poosje met een man, die ik heb ontmoet op een forum. We wisselen ervaringen uit. Hij was altijd goedhorend en werd plotsdoof. Hij heeft ook een CI sinds eind vorig jaar en hij vertelde mij deze week dat hij, als het stil is om hem heen, het geritsel van zijn broekspijpen kan horen. Ik dacht: maakt dat geluid dan? Daar weet ik niks van. Heb ik nog nooit gehoord. Daar was ik helemaal door van mijn stuk. Broekspijpen die geluid maken. Dus ik vermoed dat er straks werkelijk een nieuwe wereld van geluid voor mij opengaat.

Na drie weken ziekenhuis mocht ik naar huis. De prednisonkuur werd met drie weken verlengd, maar de controles konden poliklinisch gebeuren. Eindelijk. Ik was zo blij weer thuis te zijn. Thuisgekomen hebben we als gezin met elkaar gesproken over 'hoe nu verder?'. Na een emotioneel gesprek hadden we afgesproken dat ik zou nadenken over een andere studie. Ik deed op dat moment Culturele- en Maatschappelijke Vorming (CMV) en ik had nog geen enkel idee welke studie ik dan nu zou willen volgen. Wij zouden allemaal gebarentaal leren. Ik zou nog een cursus liplezen volgen om mogelijke foefjes of kneepjes te leren die ik nog niet kende. En wij maakten afspraken over signalen geven, bijvoorbeeld het lichtknopje aan/uit doen om aan te geven wanneer er iemand op mijn kamer kwam, wapperen met je arm als je de aandacht wilt.

De grootste confrontatie voor mij was het orgel spelen. Ik ben dezelfde dag met een stapel orgelboeken naar de kerk gegaan. Ik ging zitten op de orgelbank en begon te spelen. Ik hoorde niets. Ik voelde wel van alles trillen, maar ik hoorde totaal niets. Er gebeurde niets. Ik had verwacht dat ik erg emotioneel zou worden. Dat ik razend zou zijn of intens verdrietig. Niets van dat alles gebeurde er. Het was of stond mijn gevoel op 'uit'. Ik ben weer naar huis gegaan.

Het was inmiddels avond geworden. Ik zat op de bank, naast mijn vader en was bezig uit te zoeken hoe TT888 werkte; ondertiteling. Op een gegeven moment zei ik tegen mijn vader: "Ik hear heit." (vert.: "Ik hoor jou."), waarop hij zei: "Dat kin net." (vert.: "Dat kan niet.") Dat was het begin van het herstel van mijn gehoor. 's Middags gingen we er nog van uit dat ik doof zou blijven en 's avonds moesten we een totale ommezwaai maken en hoorde ik weer. Ik sprak acuut weer met kleur en nuance omdat ik mijzelf weer kon horen. In een tijdsbestek van drie weken keerde mijn gehoor helemaal terug. Ik heb de prednison langzaam afgebouwd. Het heeft wel een jaar geduurd voordat wij als gezin weer wat normaal met elkaar omgingen, wat mijn gehoor betreft.

Hoofdstuk 8

De vlag kan uit! Vol verwondering luister ik naar allemaal nieuwe geluiden.

Ik kan niet alleen wat horen, maar ook al wat verstaan. Het is zo ongelofelijk. Ikzelf en andere mensen klinken allemaal als Donald Duck, maar ik kan die eendjes wel verstaan. Ik moet nog veel raden binnen de context, want klinkers en medeklinkers lijken nog op elkaar. Dat is allemaal een kwestie van oefenen en tijd. Het kost tijd en inspanning om af te stemmen op degene die spreekt, maar dan in combinatie met liplezen kan ik het wel verstaan.

Niet te geloven. Ze stoppen wat elektroden in je slakkenhuis, klikken er een spraakprocessor aan vast en dan hoor je wat. Ik zit hier nog steeds totaal beduusd achter de computer.

Ben eigenlijk kapot van vermoeidheid, maar ik kan nog niet naar bed en kan het CI ook nog niet uitzetten. Het overheersende gevoel is: ik ben weer terug in mijn wereld.

Het oorsuizen is nagenoeg weg. Dat is zo'n enorme weelde, dat is met geen pen te beschrijven. Ik geniet weer van de stilte van mijn huis. Dat heb ik zo ontzettend gemist. Gewoon ik in mijn huis en verder niks. Daar kan ik alleen maar om huilen, zo blij ben ik daarmee. Zodra ik de processor af doe, is het oorsuizen weer terug, dus het oorsuizen wordt gemaskeerd door geluid van buiten.

In maart 1994 ging ik weer naar school en probeerde de draad van mijn studie op te pakken. Ondersteuning op school in die tijd had ik van een docent, Menno. Hij had een luisterend oor. Ik voelde mij nog erg labiel, was soms zomaar in tranen. Een van de belangrijkste dingen die hij ooit tegen mij zei was dat niet een ander mijn 'muurtje om me heen' af moest breken, maar dat ik dat zelf moest doen. Die uitspraak is mij lang bijgebleven.

Het gebeurde regelmatig dat ik dezelfde symptomen had van vlak voor een plotsdoofheid. Soms had ik een klap op mijn hoofd gehad, doordat ik met mijn hoofd tegen een keukenkastje was geknald. Het zou niet de eerste keer zijn als ik na een klap op mijn hoofd doof werd. Ik was dan in paniek en dacht: o jee, niet weer! Ik voelde me in zo'n situatie erg alleen en maakte een aantal fasen door. Eerst de schrik van het rare gevoel in mijn hoofd en de gekke geluiden in mijn oren. Dan paniek gevolgd door gedachten wat ik allemaal zou gaan missen wanneer ik weer doof werd. Uiteindelijk kwam ik dan op een punt dat ik me realiseerde, dat, als het gebeurde, ik dat toch niet zou kunnen voorkomen. Wanneer ik op dat punt was, kwam er rust. Rust in de zin dat ik in slaap kon vallen. Ik had niet het gevoel dat ik dit met iemand anders kon delen omdat ik een ander niet met paniek wilde opzadelen terwijl ik wist dat ik zelf weer op een punt zou komen dat ik rustig kon gaan slapen. Dan had ik goed geslapen en degene met wie ik het had gedeeld had geen oog dicht gedaan. Ik deelde dat dus niet. Het kwam regelmatig voor dat ik op zo'n moment eigenlijk met school bezig moest. Ik koos er dan voor toch nog maar even te gaan genieten van de muziek. Ik draaide mijn mooiste cd of ging nog even orgel spelen. Stel je voor dat het morgen niet meer kon. In de eerste twee jaar na 1994 was deze angst bijna dagelijks aanwezig. Dan durfde ik niet te slapen uit angst dat ik de volgende dag niets meer zou horen. Dat veranderde gelukkig met de tijd. Toch bleef er altijd een stuk onzekerheid en angst sluimeren.

Ik schrok mij net rot: reden er buiten twee brommers voorbij. Ha ha. Super.

Als ik op de bank zit, hoor ik de klok tikken. Dat heb ik nog nooit gehoord. Alleen als ik mijn oor ervoor hield hoorde ik het tikken. Nu kan ik het op afstand horen tikken. Wanneer de klok slaat, klinkt dat afschuwelijk en snoeihard. Het toetsenbord van mijn computer klinkt als een mitrailleur. De waterkoker ... nooit geweten dat zo'n ding zo veel kabaal maakt. Of wat te denken van als je op de wc klaar bent en je broek omhoogtrekt. Dat geluid van je kleding op je huid. Nou ja, dát klinkt ook zo raar.

Ik heb al even achter het orgel gezeten. Het voelde zo vreemd en tegelijkertijd vertrouwd. Ik ben toonladders gaan spelen. Eerst dacht ik: het klinkt alleen maar vals, maar hoe vaker ik het speel en vooral hoe vaker ik het in mijn hoofd speel of zing, hoe minder vals het wordt. Kwestie van veel geduld en oefenen, oefenen, oefenen en dan kijken waar we uit komen.

De norm in onze samenleving is dat je gezond bent. Zodra je een beperking hebt of een ziekte is het lastig. De norm is: je bent gezond en je doet je werk. Als je dat niet kunt, dan heb je er een probleem bij. Dit klinkt wat bitter, maar deze houding kom ik wel tegen. Ik maak het zelf mee en ik hoor het ook van mijn cliënten op mijn werk. Je moet werken, als je dat niet kunt, dan tel je niet mee. Het punt is vaak dat mensen dat graag wel willen, maar steeds tegen hun fysieke grenzen aan lopen. Doordat werken in onze samenleving zo veel waarde heeft, voelen veel mensen die dat niet of minder kunnen, zich minderwaardig of soms zelfs waardeloos. Een grote groep gaat daardoor stelselmatig over eigen grenzen om maar aan die maatstaf te kunnen voldoen. Met alle gevolgen van dien. Het is vaak niet een kwestie van niet willen, maar niet kunnen. Mensen worden als lastig beschouwd wanneer zij niet 'gewoon' mee kunnen doen. Ik pleit ervoor om mensen daar waar het kan te ondersteunen in hun werk en hen te stimuleren om eigen grenzen te erkennen, te stellen en te bewaken. Daar heeft namelijk iedereen profijt van. Het voorkomt problemen. Wat ook zou helpen is het toegankelijker maken van de aanvraag van voorzieningen. Nu is het vaak een bureaucratische rompslomp die moedeloos maakt.

Een eigen inzicht van wat zou kunnen helpen, wordt nauwelijks serieus genomen. Alsof mensen voor de lol een traplift
in hun huis aanvragen of een tolkvoorziening. Herkeuringen,
indicaties, het brengt zo veel onrust en stress met zich mee.
Dan staat het leven weer bol van onzekerheden. Gaat het dit
jaar ook weer lukken om de zorg en voorzieningen te krijgen
die ik nodig heb?

Fantastische luisteraars

Waar naar mijn mening veel te weinig over gesproken wordt
zijn de kwaliteiten van mensen met een beperking. Als ik
mij nu beperk tot slechthorenden kom ik kwaliteiten tegen
waar menig medemens jaloers op kan zijn. Ik noem er een
paar. Wij kunnen namelijk goed luisteren. Het lijkt misschien
haaks op elkaar te staan, maar dat is het niet. Slechthorenden
kunnen heel goed luisteren. Wij worden door weinig zaken
afgeleid. Wanneer iemand onze aandacht heeft, kan hij reke-
nen op tien paar oren en honderd procent aandacht. Ik durf te
zeggen dat slechthorenden mogelijk slechte oren hebben maar
fantastische luisteraars zijn. Een aardig neveneffect is dat door
met slechthorenden om te gaan, er vaker duidelijker wordt
gecommuniceerd. De ruis wordt waar mogelijk weggehaald.
Dit is niet alleen voor slechthorenden goed, maar ook voor
goedhorenden. Er wordt daardoor beter naar elkaar geluisterd. Wanneer mensen een zin moeten herhalen, zeggen zij
vaker wat ze werkelijk willen zeggen oftewel ze komen sneller met de kern van hun boodschap. De focus van slechthorenden ligt vaak meer op de lichaamshouding van mensen.
Welke taal mensen spreken met hun lijf. Non-verbale communicatie is voor slechthorenden essentieel. De communica-
tiewetenschap heeft uitgepuzzeld dat het overgrote deel van
de communicatie non-verbaal plaatsvindt. Hebben wij even
mazzel.

Ik heb net in mijn logboek geschreven. Ik wist niet dat, wanneer ik schrijf en ik mijn hand verplaats op het papier, dat dit óók geluid maakt. Het geluid van bladzijden omslaan is nog erger en luider dan dat ik het altijd al vond. Het is nu een snerpend indringend geluid. Aan het einde van de middag was ik met Hans in de AH en ik rekende af met mijn pinpas. Toen ik de pincode intoetste hoorde ik dan eindelijk de piepjes. We aten pizza. Dat maakt veel lawaai. Het snijden, kauwen, slikken, niet alleen van mijzelf maar ook van mijn buurman. Moet ik wel eventjes aan wennen, hoor. De deur van mijn kamer piept en kraakt. Dat wist ik niet. Als Hans vanuit de keuken naar de kamer loopt, hoor ik hem nu aankomen. Waar ik helemaal van onder de indruk ben, is dat, wanneer ik op de bank zit in mijn stille huis, ik mijzelf kan horen ademen. Dat hoorde ik voorheen alleen wanneer ik buiten adem was, maar niet bij gewone ademhaling. Het klinkt zo mooi! Bijna rustgevend.

Vroeger was er op televisie van omrop Fryslân een serie: Sybe Satellyt. In een van de afleveringen deed ik mee. Er werd een opname gemaakt bij het kerkorgel. De aflevering stond in het teken van stilte. Wat is stilte nou precies? Sybe ging op onderzoek uit. Hij interviewde mij over mijn periode van acute doofheid in 1994. Hij vroeg mij of het dan helemaal stil was toen ik doof was. Ik legde hem uit dat dit bij mij niet zo was. Dat ik veel geluiden hoorde in mijn lichaam. Mijn hartslag en het ruisen van mijn bloed.

Na de doofheid van 1994 heb ik een man opgezocht die ook plotsdoof was geweest. Hij had wel weer wat van zijn gehoor teruggekregen, maar was er behoorlijk op achteruitgegaan. Ik was op zoek naar een stuk herkenning. Dat vond ik bij hem alleen in het feit dat we ons beiden moeilijk konden concentreren en ons moeilijk konden ontspannen. De doofheid zelf hebben we zo verschillend ervaren en konden wij elkaar niet uitleggen terwijl we over hetzelfde spraken.

Dit was een rare gewaarwording. Het bevestigde voor mij dat er al-tijd een stuk is wat niet in woorden uit te drukken is en dat iedereen ten diepste toch alleen is met zijn gevoelens.

Ik moest vanmiddag bij de audioloog die de aansluiting deed, twee testen doen. Test 1 was dat hij willekeurig een getal tussen 1 en 10 zei met zijn hand voor zijn mond en dan moest ik het nazeggen. Score: 100% goed. Daarna een test met eenlettergreepwoordjes. Hij zei een woord met zijn hand voor de mond en ik moest het nazeggen. Score: 45% goed. De instelling van alle zestien elektroden afzonderlijk was in de hoogste tonen lastig. De twee elektroden die de hoog-ste geluiden moeten geven, gaven bij mij een lager geluid en ik hoorde het geluid minder, maar voelde het meer. In die hoogtes heb ik nog nooit iets kunnen horen dus is het niet zo raar dat ik dat nog niet oppak. Mijn hoorzenuw moet daaraan wennen. Hopelijk pakt hij straks ook die hoogtes op. Ik heb nu drie programma's op de processor: deze van dit moment, een programma waarbij dezelfde instelling wat luider is en een programma waarbij het nog luider is. Het belangrijkste is dat het helder klinkt. Zodra de zenuw went aan de geluidssterkte wordt het automatisch zachter en kan het volume opgeschroefd worden en eventueel kan ik dan naar het volgende programma schakelen.

De last van slechthorendheid in een maatschappij als de onze is zwaar. Alles draait om taal, woorden en geluid. Een beetje minder mag niet, hoort niet, kan niet. Daar word je op af-gerekend. Je krijgt geen baan of je kunt niet volledig werken en je krijgt daardoor minder geld. Wel moet je veel meer geld uitgeven aan ziektekosten. Je hebt minder energie om-dat jouw dag vier keer zoveel energie kost als iemand met goede oren. Dat allemaal in ogenschouw genomen is het niet zo verwonderlijk dat slechthorenden vaak niet uitblinken in assertief gedrag noch blaken van zelfvertrouwen.

Uitkomen voor je beperking

De kans is groter dat je slechthorenden tegenkomt die zich aanpassen aan de situatie en daarbij weinig ruimte en aandacht voor zichzelf vragen dan dat je slechthorenden ontmoet die dat wel doen. Veel slechthorenden willen zich het liefst onzichtbaar maken en vallen niet graag op. Door de teleurstellingen en de vele pijnlijke ervaringen met miscommunicatie hebben zij geleerd zich zo onzichtbaar mogelijk te maken. Niet opvallen, niets vragen en ook niets vertellen. Een ander niet lastig vallen met hun probleem. Gewoon graag mee willen doen. Niet vervelend gevonden willen worden. Kortom: veel slechthorenden komen niet uit voor hun beperking. Daardoor doen zij zichzelf tekort en ontnemen de goedhorenden zo ook de kans goed voor hen te zijn.

Goedhorenden kunnen niet rekening met jou houden, wanneer jij hen niet vertelt wat er aan de hand is en wat jij nodig hebt om het goed te verstaan. Ze doen steevast het verkeerde, want ze weten niet wat daarbij goed en fout is. Meestal is het geen onwil, maar is er eerder sprake van onwetendheid. De meest simpele dingen vergeten zij (zoals je hand voor je mond wegdoen) omdat zij niet aan jou kunnen zien dat jij niet goed hoort. Bovendien zijn het voor hen bewegingen die zo eigen voor ze zijn dat het ook moeilijk is om deze niet te maken. Dat zul je ze keer op keer moeten vragen. Net zo lang totdat de patronen of gewoontes doorbroken worden en of dat zij jouw gevraag zo zat zijn dat zij uit eigen beweging deze bewegingen niet meer maken.

Het is voor slechthorenden belangrijk te zeggen wat zij lastig vinden in het horen en luisteren. Het is voor slechthorenden belangrijk dat goedhorenden alles over de slechthorendheid willen weten en dat zij oprecht geïnteresseerd zijn. Dat de intentie er is om de situatie zo optimaal mogelijk te maken voor slechthorenden. Het is belangrijk dat we als volwaardig medemens worden gezien en niet als een medemens die sneu en zielig is omdat hij niet goed kan horen. Die ondertoon is voelbaar, ook al wordt er niets in die richting gezegd of gedaan. Bovendien denk ik zelfs dat slechthorenden beter in staat zijn de ander te verstaan dan de goedhorenden, ook al doen hun oren in de verste verte niet dat wat goed horende oren doen. Slechthorenden hebben geleerd op een andere manier te verstaan en zijn veel meer gericht op de non-verbale kant van de communicatie. Zij voelen feilloos aan, horen met hun ogen en luisteren met hun hart. Wat het belangrijkste is voor goedhorenden om te doen in contact met slechthorenden is met regelmaat te vragen: is de situatie zo goed voor jou? Dat is een kernvraag. Daarmee dwing je de slechthorende na te denken over zijn situatie en bied je de ruimte om de situatie te optimaliseren. Je nodigt daarmee de slechthorende uit ruimte in te nemen en zich niet klakkeloos aan te passen.

18 april 2009

Ik loop nog steeds op wolkjes met een grijns van oor tot oor. Zo blij en gelukkig voel ik mij.

Een greep uit de ervaringen van de afgelopen dagen:

- Mijn poezen Mies en Teun kan ik horen eten en ik heb ze ook horen smakken. Ik wist niet dat poezen ook kunnen smakken, maar dat is heus waar. Ik heb Miesje horen spinnen. Zo ontzettend mooi. Teun heb ik horen miauwen. Ik kan ook horen dat hij op de tafel of op het dressoir springt. Dan maakt hij een geluidje.
- De wasmachine klinkt als een drilboor. Ik dacht even dat hij stuk was, maar dat zou te toevallig zijn. Ik heb nooit geweten dat het zo hard en luid is.

- De afzuigkap, dat goedkope ding waar ik eerder al over vertelde, klinkt voor mij nu als een buitenboordmotor.

- Sinds de derde dag hoor ik dat mijn mobiel een piepje geeft wanneer ik hem op toetsenblokkering zet of wanneer ik een sms'je verstuur. Een mooi aardig piepje. Zo leuk.

- Ik heb buiten een windgong hangen. Die klinkt totaal anders dan in mijn herinnering, maar ik kan wel horen dat de windgong verschillende klanken heeft.

- Mijn mp3-speler heb ik aan mijn CI gekoppeld en ik heb vervolgens verhaaltjes van Toon Tellegen beluisterd met behulp van het boek. Dat kon ik goed volgen. Zonder boek kan ik er nog niets van verstaan.

- Als ik slik klinkt het als een gootsteen die bubbelt. Dat is best wel een onsmakelijk geluid, dat slikken. Ik hoor het niet alleen van mezelf maar ook van de mensen die naast mij zitten.

- Wat ik een fascinerend geluid vind, is wanneer ik mijn handen over elkaar wrijf. Dat klinkt als schuurpapier.

- De klok verandert inmiddels iets van klank. Hij wordt wat hoger. Dat is wel een gunstig teken. In mijn herinnering klonk hij veel hoger dan hoe ik het nu hoor.

- Het lawaai buiten is verschrikkelijk. Daar kan ik nog weinig van maken. Het geluid van de wind, de auto's, alles gaat door elkaar heen. Sinds vandaag kan ik auto's beter onderscheiden.

- Als ik met mensen spreek klinken ze eerst allemaal als Donald Duck, maar naarmate ik langer met ze spreek hoor ik wat van hun 'oude stem' erin terug.

- Ik kan nu de kookwekker weer zetten. Ook zo fijn.

- Tandenpoetsen is zo geweldig leuk. Dat klinkt als schrobben. Dat wist ik niet. Nog nooit gehoord. In mijn beleving maakte dat nauwelijks geluid.

- O ja, ook zoiets geweldigs: ik kan als ik in de kamer zit horen dat het koffiezetapparaat in de keuken pruttelt.

Het CI staat inmiddels op programma twee met driekwart van het volume erop. Dus er is vanaf programma een al behoorlijk wat volume aan toegevoegd.

Hoofdstuk 9

In de zomer van 1994 wilden we nog een keer met ons allen op vakantie. Mijn zus ging ook mee. Mijn ouders, zus, ik en vriendin Rinske Minke vertrokken naar een camping aan het meer van Genève in Frankrijk. Wij ontmoetten daar Nederlandse jongens. Zij wilden wel met ons gaan raften, wildwaterkanoën. We haalden mijn vader over om ook mee te gaan. Mijn moeder bleef op de camping. We zaten met acht mensen op de boot, die drie jongens (Adriaan, Uilke en Flip), mijn zus, Rinske Minke, mijn vader, ik en de instructeur. Na nog geen vijf minuten sloeg onze boot om. Iedereen lag in het water. Hendrika, Rinske Minke en ik klommen al vrij vlot weer in de boot. We keken om ons heen waar iedereen was. We zagen ze allemaal behalve mijn vader. Ik ontdekte hem en zag zijn hand uit het water steken. Ik realiseerde mij goed dat het helemaal mis was! Hij zat vast. Wij begonnen te gillen en te krijsen. We kregen ons bootje aan de bergkant. We hielden ons vast aan het mos en konden niets anders dan krijsen. De stroming was zo sterk dat het onmogelijk was om weer terug te gaan, richting mijn vader. Bovendien hadden we geen peddels meer. Zijn arm stak nog steeds boven het water uit, zo van: hier ben ik! De instructeur was aan de wegkant gekomen, rende terug ter hoogte van mijn vader en sprong het water weer in, in de hoop mijn vader te bereiken. Dit mislukte keer op keer. Op een gegeven moment kwam de arm van mijn vader niet meer boven water uit. Flip was langs de bergkant naar mijn vader geklauterd. Hij heeft uiteindelijk de schoen van mijn vader, waarmee hij vast zat tussen twee rotsblokken, losgerukt en mijn vader schoot los. Ik hield de boot aan de kant en had niet gehoord dat ze schreeuwden: "Hij is los!" Ik keek om en zag mijn vader in het water drijven en hij was helemaal grijs. Mijn hart stond stil, ik dacht: hij is dood. De instructeur en mijn zus trokken hem op de wal en begonnen met hartmassage en reanimatie. Op een zeker moment maakte hij een heel akelig geluid,

wat ik zelfs kon horen. Een oerachtig geluid. Als ík dat al kon ho-
ren, hoe hard zou dat dan in werkelijkheid zijn? Inmiddels waren er
ambulances en andere raftingbedrijven aan de straatkant bezig een
touw over het water te spannen. Ze haalden mijn vader veilig op een
boot naar de straatkant. We zagen het ambulancepersoneel met hem
bezig. Hij kreeg aluminiumfolie om zich heen. Ik dacht: zie je wel,
hij is dood. Uiteindelijk werd hij met loeiende sirenes naar het zie-
kenhuis gebracht. Vervolgens werden wij naar de straatkant gehaald.
Mijn zus ging mee naar het ziekenhuis. Ik was in een soort shock. Ik
had een tic en maakte steeds een rare korte beweging met mijn hoofd.
Om bij mijn positieven te komen kreeg ik een klap in mijn gezicht
van een van de reddingswerkers. Dat hielp enigszins. Rinske Minke
en ik en de jongens gingen naar de camping om mijn moeder te ver-
tellen wat er was gebeurd. We wisten niet of hij nog leefde of niet.
Uiteindelijk bij mijn moeder aangekomen, kreeg ik het niet uit mijn
strot. Rinske Minke heeft het aan mijn moeder verteld. We zijn met
de Nederlandse jongens in de auto naar het ziekenhuis gegaan. Daar
stond Hendrika, nog in een kletsnat surfpak, ons op te wachten. We
mochten bij hem naar binnen. Twee aan twee. Ik ging samen met mijn
moeder. Zij schrok enorm. Hij lag onder folie, met allemaal toeters
en bellen. Hij had zolang onder water gelegen en daarom hielden ze
hem vierentwintig uren in slaap om hem langzaam aan weer op tem-
peratuur te krijgen. Zijn temperatuur was tweeëndertig graden. Ook
waren ze bang dat zijn hersenen beschadigd zouden zijn door het
tekort aan zuurstof. Het was afwachten. Een lange, hele lange nacht
op de camping volgde. We zaten bij elkaar. De Nederlandse jongens
en wij. Het was zo intens. De een had behoefte om te praten, terwijl
de ander zich terugtrok. We praatten over wie waar was op welk mo-
ment van het ongeluk. Wat iedereen had gedaan. Ik had voor mijn
gevoel 'meer' moeten doen. Ik voelde mij schuldig. Ik was 'versteend'
tijdens het ongeluk. Ik had alleen maar het bootje aan de kant kun-
nen houden. Meer had ik niet gedaan. Flip en Hendrika waren juist
daadkrachtig. Ik was zo enorm geschrokken. De paniek van het mo-
ment en van het niet kunnen horen wat iedereen schreeuwde zat zo

in mijn lijf. Het beeld van mijn vader die zo grijs was als een muis en in het water dreef, stond op mijn netvlies gebrand. Iedereen had zijn eigen verhaal van wat we hadden beleefd. Uiteindelijk probeerden we toch wat te gaan slapen. Elke auto die voorbijkwam deed ons hart stilstaan. Was het de beheerder, die kwam vertellen dat het niet goed ging met mijn vader? Of was het een campinggast die thuiskwam? De volgende dag gingen we weer naar het ziekenhuis. Ik was weer samen met mijn moeder. Mijn vader was net uit de slaap gekomen. Het eerste wat hij zei was: "Wêrom hat net ien my d'r út helle?" (vert.: "Waarom heeft niemand mij eruit gehaald?") Voor hem was het alsof het dezelfde dag was gebeurd en hij had er geen weet van dat hij vierentwintig uren in slaap was gehouden.

Uiteindelijk is hij opgeknapt en uit het ziekenhuis ontslagen. We zouden in eerste instantie gelijk naar huis, maar hebben dat toch niet gedaan omdat we tijd en ruimte voor elkaar nodig hadden om dit te verwerken. Het is goed geweest dat we daar zijn gebleven. Mijn vader is helemaal hersteld, maar moet sindsdien meer moeite doen om dingen te leren en vast te houden.

Plastic tassen klinken afschuwelijk. Dat geluid is bijna niet te harden. Ik ben benieuwd of dat ook gaat veranderen in de loop van de tijd. Voorlopig pleit ik voor stoffen tassen.

Elke dag zit ik weer even achter het orgel. Toonladders en twee enkelvoudige stukjes van Georg Phillipp Telemann zijn mijn oefenmateriaal. Sinds gister kan ik een zuivere toonladder horen. Het klinkt niet mooi, maar wel zuiver. Oefenen, veel oefenen en me letterlijk niet van de wijs laten brengen door de valsheid van de eerste honderd keren.

Op internet kan ik memoryspelletjes doen, met woordjes. Dat is best moeilijk maar wel leuk oefenmateriaal. Ook kan ik via internet oefenen met het leren horen van verschillende muziekinstrumenten. Tot nu toe klinkt de fagot mij het meest helder en duidelijk in mijn oren.

Ik was deze week even bij mijn ouders. Daar kreeg ik een brosse koek. Dat was zo bijzonder. Toen ik de koek at, klonk het alsof ik over grind liep.

Het spraak verstaan is grotendeels raden binnen de context. Wanneer ik met Hans losse woordjes oefen, is het voor mij erg moeilijk te verstaan. We zullen in de revalidatie veel werken aan spraak verstaan.

Weer terug in Nederland, wilde ik maar één ding: weer thuis wonen. Ik wilde niet meer in Zwolle wonen, maar bij mijn familie zijn. Ik was gebroken, het was te veel geweest. Eerst mijn acute doofheid en daarna dit vreselijke ongeluk. Ik ben bij mijn ouders gaan wonen en heb de studie in Leeuwarden opgepakt. Achteraf gezien was dit een goed besluit. Ik kon tot mezelf komen en had mijn ouders, zus en vrienden in de buurt. Dat heeft mij erg goed gedaan. Twee jaar later ben ik weer op kamers gaan wonen. Ik kreeg een prachtige kamer in het centrum van Leeuwarden. Dat was een leuke tijd. Ik woonde daar met nog drie vrouwen. Wij deelden een keuken, douche en wc. Ik heb de opleiding Culturele en Maatschappelijke Vorming (CMV) afgerond en wilde daarna nog niet aan het werk. Ik had nog een extra studiejaar omdat ik slechthorend was en besloot dit te benutten. Ik realiseerde me toen dat het voor mij niet handig was om groepswerk, wat CMV toch grotendeels is, te doen met mijn gehoor en ik koos voor Maatschappelijk Werk en Dienstverlening (MWD) Vanaf de eerste schooldag wist ik dat dit de juiste keuze was. Ik voelde mij als een vis in het water. Ik heb de opleiding in twee jaar afgerond. Vervolgens kreeg ik een baan aangeboden in het Algemeen Maatschappelijk Werk in Meppel. Daar heb ik één jaar gewerkt. Uiteindelijk heb ik gesolliciteerd bij Stichting Maatschappelijk Werk Fryslân en de baan gekregen.

Ik ben op de snorscooter weggeweest. Het geluid van het starten van de scooter was veel luider dan in mijn herinnering, maar zodra ik me in het verkeer begaf, verdween het geluid in al het andere lawaai. Daarin kan ik weinig tot niets onderscheiden. Of het nu een auto, bus of vrachtwagen is, dat is dezelfde herrie. Ik heb het CI gister op programma twee gezet en daarmee werd in ieder geval de spraak al weer iets beter te verstaan, helder. Het geluid van de wind kon ik ineens onderscheiden van het verkeer. Een ruisend geluid.

Ik voel mij de gelukkigste vrouw van de wereld! Het CI is het mooiste cadeau wat ik ooit heb gekregen. Nog nooit heb ik zo veel en zo luid gehoord in mijn leven. Van zeer veel geluiden wist ik het bestaan niet eens. Het dringt langzaam tot mij door dat dit nooit meer weg gaat en dat ik zonder angst kan gaan slapen. Die onrust en angst zitten zo in mijn systeem dat ik mijzelf 's avonds moet vertellen dat het gehoor altijd zo zal blijven. Ook als ik 's nachts wakker word, kan ik mezelf vertellen dat ik mijn gehoor nooit meer zal verliezen. Dat ik nu niets hoef te testen en ik mij gewoon weer kan omdraaien en verder kan slapen.

De laatste keer dat ik heel goed heb gespeeld was eind september 2008 in de kerk van Weidum. Al geruime tijd voelde ik mij onzeker achter het orgel. Dat kwam omdat ik mezelf niet meer goed kon corrigeren op mijn gehoor. Ik hoorde het niet meer goed.

In Weidum had Hans de orgelkast wat opengezet. Het geluid weerkaatste tegen de muur en kwam zo direct in mijn 'goede oor' terecht. Ik was van mijn stuk, want ik had mijzelf in tijden, misschien wel in jaren, niet zo duidelijk horen spelen. Ik dacht: jeetje, dit klinkt zo mooi. Ik heb na afloop van de dienst nog lang gespeeld en zo kunnen genieten van mijn eigen spelen. Dat was super. Daar heb ik in de afgelopen tien weken vaak aan gedacht.

Ik zou morgen graag voor een tweede CI willen gaan. Helaas vergoedt de zorgverzekering dat niet en zelf heb ik geen 60.000,- euro op de bank staan, dus voorlopig zit het er niet in. Het idee dat ik dan met mijn linkeroor ook zo goed zou

kunnen horen als nu met mijn rechteroor tja, dat zou waanzinnig zijn. Eerst gaan we aan de slag om met dit CI zo optimaal mogelijk te horen, luisteren en verstaan.

*Pake (vert.: opa) Klaas werd weduwnaar toen ik zeven jaar was. De
herinneringen aan mijn beppe (vert.: oma) zijn schaars. Ik herinner
mij haar als een gezellige en vrolijke vrouw. Zij was ondeugend en
had spierwit haar. Ik vond haar een leuke en lieve beppe. Pake Klaas
had een speciale plek in mijn hart. Ik kon mezelf zijn bij hem. Hij
was een stille man. Sociaal gezien was hij niet de meest toegankelijke
man. Als ik met hem alleen was, praatten wij regelmatig over beppe.
Dan vertelde hij over haar en in alles wat hij zei was zijn liefde voor
haar voelbaar. Hij miste haar enorm. Pake was slechtziend en werd
uiteindelijk blind. We konden allebei iets niet goed. Dit verbond
ons. Hij kreeg daarnaast de gebruikelijke ouderdomsslechthorend-
heid. Toen ik jong was, had ik met hem al een deal gesloten dat hij
niet zou tegensputteren wanneer hij toe was aan een hoorapparaat.
Dat deed hij dan ook niet. Ik had net mijn rijbewijs en haalde hem
op om samen naar de audioloog te gaan. Een audioloog onderzoekt
in hoeverre iemand slecht hoort en welke oplossingen er zijn op het
gebied van hoorapparaatjes en dergelijke. Ik herinner mij nog goed
dat hij tegen de audioloog zei dat hij zijn blindheid vele malen erger
vond dan zijn slechthorendheid. Dat begreep ik want het leek mij ook
veel erger om blind te zijn dan doof.*

*Pake was trots op mijn orgelspel. Elke zondag kwam hij bij ons kof-
fiedrinken. Dan rookte hij zijn pijp of een sigaar. Wanneer ik dat
rook dan was het pas écht zondag voor mijn gevoel. Pake duwde me
dan even aan en wees naar het orgel, zo spraakzaam als hij was. Ik
speelde dan een stuk voor hem. Hij genoot. En ik genoot van hem. In
de tijd dat ik nog geen stageplaats had voor mijn opleiding MWD,
zou hij gaan verhuizen naar een verzorgingshuis. Dat was in 1999.
Hij keek ernaar uit, want hij miste gezelschap. Het verzorgingshuis
was bij hem om de hoek. Op de dag van zijn verhuizing kreeg hij
een beroerte. Dat was het begin van zijn sterfbed. Uiteindelijk is hij*

rustig en vredig gestorven. Ik heb zijn afscheidsdienst begeleid op het
kerkorgel. Dit was bijzonder en helend voor mijzelf. Als herinnering
heb ik zijn pijp gekregen die hij zelf nog had gestopt vlak voor zijn
beroerte.

3 mei 2009

Het is zo ontzettend mooi wat ik allemaal weer kan horen.
Ik geniet met volle teugen. Even een korte impressie:

- Ik wist niet dat hagelslag eten een krakend geluid
  maakt.
- Ik kan steeds meer onderscheid maken tussen auto's,
  brommers, motors en vrachtwagens.
- Spelende kinderen buiten klinken als jankende katten.
- Ik wist niet dat merels zó luid kunnen zingen.
- Ik wist niet dat er in de supermarkt zó veel lawaai is;
  het lijkt mij arbotechnisch onverantwoord dat caissiè-
  res aan zo veel keiharde piepjes (vooral in de AH en
  C1000) blootgesteld worden.
- Wat ik erg bijzonder en ontroerend vind en waar ik
  heel blij mee ben, is dat mensen steeds meer wat van
  hun 'oude vertrouwde stemmen' terugkrijgen.
- Ik wist niet dat je buiten de wc alles kunt horen op de
  wc; dat je totaal geen enkele privacy hebt, maar dat we
  met zijn allen doen alsof we dat wél hebben.
- Met mijn mp3-speler aangesloten op het CI kan ik met
  veel inspanning zo'n 75% van de verhaaltjes van Toon
  Tellegen verstaan.
- Als ik de ramen lap maakt de trekker een fascinerend
  raar hoog geluid.
- Strijken, het ruisende geluid van het ijzer op de kleding, is een boeiend geluid.
- Wanneer ik een appel eet, klinkt dat alsof ik door de
  sneeuw loop.

Ik leerde Hans kennen in 1999 en via hem kwam ik in contact met John. John is orgelleraar. Bij hem ben ik gaan lessen en heb ik enorm veel geleerd. Een muziekstuk onderging tijdens de les een ware metamorfose. Bij iedereen, ongeacht hoe iemand in elkaar zit, draait het erom dat je alleen kunt musiceren vanuit het gevoel. Het gehoor komt, hoe vreemd dit ook klinkt, pas op de laatste plaats in dit proces. Pas wanneer het gehoor datgene waarneemt van wat je voelt kan je gaan reageren en dan ontstaat het muziek maken. Muziek maken kan dus alleen vanuit de intentie en die intentie begint bij jou als persoon en met wat je voelt.

John verstond de kunst mij te instrueren door middel van beelden of sfeerbeschrijvingen. Zo werd het bijna een poëtisch gebeuren. Als hij zei: "Deze passage zou ik wat vrijer en Brabantser spelen," dan wist ik wat hij bedoelde. Het oproepen van gemoedstoestanden bij mezelf om de muziek zo neer te zetten als ik zelf wou, dat heb ik van John geleerd. Ook liep ik met zijn beschrijvingen keihard tegen mijn eigen hobbels aan. Het werkelijk vrij zijn in het spelen is iets wat alleen kan als jij je zelf vrij en los voelt. Hij kon mij daarin uitdagen wat niet alleen effect had op het orgel spelen maar ook op mij als mens.

Hans en ik zijn al twee keer in Brabant geweest om te revalideren. Een pittig traject.

We troffen daar nog twee mensen die ook kort geleden zijn aangesloten op hun CI. Het was leuk om ervaringen uit te wisselen. Alle drie hadden we een 'eigen' logopedist waarmee we die dagen aan het werk waren. We deden allerlei oefeningen. De logopediste las een verhaal voor en ik kon de tekst meelezen. Zomaar ergens in de zin of in een woord stopte zij. Ik moest dan aangeven waar zij stopte. We deden oefeningen met het luisteren naar zinnen en woorden en deze nazeggen. Naarmate het beter ging werden de oefeningen moeilijker gemaakt. Zo kreeg ik bijvoorbeeld tien woorden op papier, waar de logopediste en Hans afwisselend zinnen mee maakten. Dan moest ik de gebruikte woorden aangeven en later proberen de hele zinnen te herhalen. Wanneer mensen praten en ik kan liplezen, dan gaat het verstaan erg goed. Dan kan ik, binnen de context, raden wat er gezegd wordt en dat is wat ik altijd al goed kon. Het is stukken moeilijker om te verstaan zonder te kunnen liplezen. Klanken leren onderscheiden zoals de oe en de ie of medeklinkers herkennen; is het nu de w of de b?

Er werd een hoortest afgenomen. Nog nooit heb ik zo'n mooi audiogram gehad. Ik heb een gemiddeld een verlies van 35dB. Dat betekent dat ik in principe alles kan leren horen wat er op het gebied van spraak nodig is. Daarnaast doen ze een woordtest waarbij de foneemscore (spraakklanken) wordt getest. De laatste keer kreeg ik drie rijen van woorden te horen en ik had de volgende score: 55%, 70% en 48%. Grofweg een gemiddelde foneemscore van 58% en dat was bijna een verdubbeling van de score die ik een week eerder had.

Een foneem is een basisklank van de taal. Taal bestaat uit een aantal basisklanken waarmee je alle woorden kunt samenstellen. Een basisklank is dus niet per definitie één letter. Het kan ook een combinatie van een aantal letters zijn.

Ze laten een serie woorden horen die je na moet zeggen. Wanneer zij het woord 'bus' laten horen en de slechthorende hoort 'lus' dan hoort hij de spraakklank (foneeem) 'us' goed en dat staat voor een bepaalde score. Een ander voorbeeld. Als zij het woord 'schoen' laten horen en de slechthorende hoort 'school' dan is de spraakklank 'sch' goed. Ook dat geeft weer een bepaalde score. Alle scores bij elkaar opgeteld geeft een bepaald percentage en dat wordt de foneemscore genoemd.

Ik ben eigenwijs en koos muziek die ik zelf mooi vond. Ik speelde in eerste instantie altijd voor mijzelf. Bij het begeleiden van de gemeentezang hield ik van een stevig tempo. Ik wilde niet dat mensen na een couplet zo'n beetje in slaap vielen, omdat de organist een tergend langzaam tempo aanhield. Dat haalde het ritme, het karakter en de fleur uit het lied en was nergens goed voor. Toen ik pas begon als organist, kon ik daarin weleens wat doorschieten en waren mensen bij mij buiten adem na het eerste couplet, omdat zij mij niet konden bijhouden. Later kwam ik beter in balans en was het heerlijk om de zingende mensen te begeleiden. Het begeleiden van gemeentezang is iets wat ik heb moeten leren. Voor mij was het een uitdaging om elke keer met nieuwe voorspelen te komen of met andere zettingen van het lied, waardoor ik het plezier in het spelen hield en de mensen in de kerk niet steeds hetzelfde hoorden. Het leuke van organist zijn is, dat ik als organist kan bepalen hoe een lied gezongen wordt. Dat zorgde ervoor dat ik dit ondanks mijn slechthorendheid prima kon doen.

Er was eens een gastpredikant. Ik begeleidde de dienst en had een briefje met daarop de liederen die er gezongen gingen worden. De predikant gaf aan dat er drie coupletten van een lied gezongen gingen worden, maar op mijn briefje stonden er twee. Ik besloot er twee te spelen. Na die twee coupletten zei de predikant: "Wil de organist in het verdere verloop van deze dienst beter opletten?" Gelukkig had ik hem niet goed kunnen verstaan. Mijn vader, die bij mij boven zat, vertelde mij na afloop van de dienst wat die predikant had gezegd. Als ik dat eerder had geweten was ik eruit gelopen en had dan over de balustrade geroepen dat ze a capella verder konden zingen.

Inmiddels heb ik de derde afregeling gekregen. Tot nu toe ben ik daar heel blij mee. Het klinkt beter dan de vorige. Toen de afregeling klaar was kreeg ik een woordtest waarbij ik een foneemscore haalde van 76%. Het is moeilijk om in woorden aan te geven hoe het klinkt, wat ik anders zou willen of wat ik aan geluid mis. Die informatie heeft die audioloog wel nodig om voor mij tot een goede afregeling te komen. Ik heb geen 'goed' referentiekader. Zoals mijn gehoor eerder was, dat is niet een gehoor waar ik naar terug moet. Hoe het dan wel moet, is een proces van uitproberen en voortdurend bijstellen. Hans vraagt mij nu met regelmaat wat ik hoor en hoe het klinkt, zodat ik leer daar woorden aan te verbinden.

Wanneer ik ga slapen doe ik mijn hoorapparaat uit. Slapen met een hoorapparaat is niet prettig. Bij een hoorapparaat heb je een oorstukje wat in de oorschelp zit. Als je daarop ligt, dan doet dat zeer in je oor. Ook een CI kan ik 's nachts niet in houden. Bij een CI zit er een spoel op je hoofd die aan de schedel vastgetrokken wordt door een magneetje. Zonder hoorapparaat/CI hoor ik niets. Ik heb een systeem in huis, waarbij mijn wekker afgaat wanneer er op de deurbel wordt gedrukt, de telefoon rinkelt of het brandalarm afgaat. Dit is er allemaal op aangesloten. Het voelt elke avond alsof ik mij moet overgeven aan de stilte van de nacht. Het veilig voelen in mijn huis is heel wezenlijk voor mij. Ik moet ervan uitgaan dat alle apparatuur het doet. Dat ik erop kan vertrouwen. Dat er niets aan de hand is in mijn huis. Het is elke avond een bewust gebeuren als ik mij overgeef aan de nacht.

Hoofdstuk 10

De muziek is werkelijk een verhaal apart. Het laat zien hoe ingenieus ons brein functioneert. Na de tweede afregeling ging ik weer achter het orgel zitten toonladders spelen. Totaal vals! Het was nog erger dan na de eerste afregeling. Aanvankelijk was ik geneigd in huilen uit te barsten, maar toen bedacht ik: oké, het klinkt vreselijk en ik kan het orgel nu uitzetten maar ik kan ook opnieuw beginnen. Dus ik ben weer begonnen met een simpele toonladder. In mijn hoofd driftig meezingend en hoor daar! Na een kwartier, twintig minuten kon ik er een zuivere toonladder van maken. Ik begon weer met een enkelvoudig stukje muziek en na een kwartier klonk ook dat weer zuiver. Het is in mijn geval blijkbaar een kwestie van blijven herhalen en bij elke herhaling plopt er weer iets van herkenning in mijn brein. Ik kan niet zeggen dat ik het geluid fraai vind. Het is wel zuiver maar klinkt niet mooi. Gister heb ik geprobeerd een largo van een sonate van Johann Sebastian Bach te spelen maar dat was qua klank veel te complex en klonk volslagen vals. Ik blijf proberen en zie wel waar ik uitkom wat muziek betreft.

Een paar jaar geleden werd ik gebeld of ik een dienst kon begeleiden in een kerk in Leeuwarden. Dat deed ik. Hans zat bij mij boven bij het orgel. De dienst begon met een intochtslied. Ik speelde lekker maar er ontstond commotie in de kerk. Er stond een oude man in de kerk die iets schreeuwde wat ik niet kon verstaan. Ik dacht: die man is niet goed geworden. De dominee, een gastpredikant, zei er vervolgens niets over, dus ik dacht: het zal wel wat meevallen. Het volgende lied werd aangekondigd. Een lied met vijf coupletten. Ik begon. De koster kwam naar boven stormen en riep iets naar mij. Ik verstond flarden van wat hij zei: 'te snel' en 'zingen'. Na dit lied maakte Hans mij duidelijk dat de koster boven was gekomen om tegen mij te zeggen dat mijn tempo te hoog lag en dat de mensen in de kerk het niet bij konden houden. Ook vertelde Hans mij dat die oude man beneden in de kerk tegen mij met bibberende stem had geschreeuwd: "Hij moet spelen wat er staa-aat en in het jui-ste tempo-oo!" Ik had bewust een gematigd tempo gekozen, maar in deze zeer bejaarde en traditionele gemeente was dat niet voldoende gebleken. Naarmate de dienst vorderde gingen zij overigens steeds beter zingen. Een mens is nooit te oud om te leren. Na afloop van de dienst kwam de ouderling van dienst boven. Hij begon zijn relaas met dat ik het orgel zo mooi had laten klinken. Het woordje 'maar' lag in zijn hele introductie al besloten, dus ik zei: "Maar ...?" En toen kreeg ik heel netjes 'de wind van voren'. Nadien ben ik nooit weer gebeld met de vraag of ik daar in kon vallen.

Het begeleiden van gemeentezang is anders dan wanneer je een koor begeleidt. Wanneer je een koor begeleidt dan is de dirigent degene die bepaalt hoe de muziek vertolkt moet worden. En laat dan die dirigent toevallig ook nog eens mijn vader zijn. Het begeleiden van een koor was veel lastiger omdat ik het vaak niet goed kon horen en soms compleet op mijn gevoel moest 'varen'. Dit ging meestal goed, maar het was wel spannend.

De klok, die ik na het overlijden van mijn schoonvader kreeg, klinkt niet meer zoals vroeger. Ik weet niet meer hoe hij klonk. Ik kan het simpelweg niet meer oproepen in mijn brein en dat doet mij verdriet. Hans deed de suggestie om een ander klokgeluid voor mezelf te gaan koppelen aan deze klok. Het gevoel dat ik erbij had zat 'm in de slag van de klok. Het voelt voor mij, misschien lichtelijk overdreven gezegd, maar om het duidelijk te maken, alsof ik opnieuw afscheid moet nemen van mijn schoonvader. Ik baal er zo van dat ik het niet meer te pakken krijg. Ik denk dat ik Hans' suggestie maar ter harte ga nemen. Misschien plopt het geluid later alsnog in mijn brein. Dan kan ik het altijd nog bijstellen.

Ik ben erg vermoeid. Het hele proces kost de nodige inspanning en energie. Ik heb momenteel veel last van oorsuizen. Geen liedjes meer, maar suizen en piepen. Dat wordt dan niet meer gemaskeerd door het geluid van buiten. Het oorsuizen wijt ik aan de vermoeidheid. Naarmate de dag vordert, krijg ik er meer last van. Ik heb geen pijn meer. Over een week mag ik weer beginnen met sporten. Daar kijk ik naar uit.

23 mei 2009

Afgelopen week kreeg ik de vierde afregeling en ik ben weer verbaasd over alle nieuwe geluiden die ik hoor. Wat eerder als één geluid klonk, klinkt nu gedetailleerder. Bijvoorbeeld de vaatwasser; dat klonk eerder alleen maar luid. Nu hoor ik dat de vaatwasser aan het spoelen is en dat dit anders klinkt dan wanneer de vaatwasser aan het drogen is. Zo mooi.

Wat heel fijn is, is dat ik mensen van verre kan horen aankomen. Gister liep ik naar het station en hoorde ik twee mensen praten. Ik verstond niets, maar hoorde duidelijk dat er gesproken werd. Het duurde even en toen fietsten er twee pratende mensen mij voorbij. Dat hoorde ik eerder nooit. Dat is een van de vele momenten dat ik mij erg gelukkig voel.

Wij gingen vroeger meestal naar het buitenland op vakantie. Dan waren we bijvoorbeeld drie weken in Italië aan het kamperen. Altijd namen wij wat muziek mee, want je wist het maar nooit of ik in een kerk de kans kreeg om op een orgel te spelen. Bovendien was drie weken zonder orgel spelen veel te lang. Het lukte in bijna elke vakantie wel een keer ergens te spelen. De koster of de pastoor ter plaatse zagen wij dan denken: wat moet zo'n jong meisje nou op een kerkorgel? Net als in Nederland was het in het buitenland ook moeilijk om

ergens op een kerkorgel te kunnen spelen. Als ik dan een mooi stuk
van Johann Sebastian Bach liet horen, was het vaak geen probleem
meer en kon ik zo lang blijven spelen als ik wilde. Vorig jaar was ik
met Hans in Engeland. We waren op de motor en ik had toch een
paar blaadjes muziek in de koffer gestopt. In een mooi, lief kerkje van
het dorpje Bagnall stond een prachtig orgel waar ik die vakantie twee
keer op heb gespeeld. De afspraak was, dat wanneer ik volgend jaar
weer zou komen, ik een concert zou geven. Jammer genoeg kan ik die
belofte nu niet nakomen.

Een paar jaar geleden waren we in Amersfoort, in de St. Joriskerk,
waar ik op het grote orgel (er staan meerdere orgels in die kerk)
mocht spelen. Een prachtig orgel met een enorme nagalm. Die na-
galm maakte het voor mij moeilijk mijn eigen spelen te volgen. Ik
kon zo genieten van die orgels. Ik ben een fan van Theo Jellema.
Hij geeft aan het einde van de zomer vaak een concert waarbij je
verzoeknummers kunt doorgeven. Daaruit maakt hij een keuze en
stelt het programma van zijn concert samen. Zo speelde hij onder
andere op mijn verzoek een sonate van Felix Mendelssohn Bartholdy.
Een fantastische sonate waarin 'alles' te vinden is. Ik maakte mij
toen al veel zorgen over mijn gehoor. Ik was daardoor ontroerd dat
hij dit speelde.

Als Hans en ik op de snorscooter weg zijn en er zijn meerdere geluiden zoals verkeer, wind, geluid van de motor, dan
hoor ik óók dat Hans claxonneert. Ik herken de claxon uit de
veelheid van geluiden.

Ik ben helemaal in de ban van het geluid van het snijden van
groenten. Het klinkt zo anders wanneer je een tomaat, kom-
kommer, wortel of een paprika snijdt. Erg bijzonder. Ik hoor
nu niet meer alleen het toetsenbord van de computer, maar
ik hoor nu ook luid en duidelijk de ventilator in de computer.
Ik hoor het water in de wasmachine klotsen, dat is zo'n grappig geluid. Wat ineens véél beter gaat is het spraak verstaan
zonder liplezen. Gister zat ik bij mijn heit (vert.: vader) in

de auto en ik reed. We praatten onderweg en ik kon het allemaal verstaan. Hoera!

Het revalideren ging zo goed, dat wij vorige week vrijdag een dag over mochten slaan. Ik oefen door het beluisteren van cd's (luisterboeken), televisie kijken met of zonder ringleiding met ondersteuning van de ondertiteling en telefoneren met behulp van de ringleiding of op de speaker. Met Hans doe ik de oefeningen die we meegekregen hebben van Viataal. Inmiddels heb ik een nieuwe telefoon gekocht. Daarmee kan ik ook via een speaker bellen. Dat gaat op dit moment het beste. Alhoewel het telefoneren zoals ik het altijd deed, via de ringleiding, ook steeds beter gaat. Het oorsuizen neemt af en het is rustiger in mijn hoofd. Alleen bij fysieke inspanning heb ik er nog last van. Mijn evenwicht laat weer wat te wensen over en ik voel mij nog steeds vermoeid. Nu en dan ben ik daar letterlijk misselijk van. Gister sprak ik hierover met de audioloog in Nijmegen. Hij vertelde dat mijn brein nu ook de geluiden die ik wel van vroeger ken, maar die net weer iets anders klinken, opnieuw moet opslaan in mijn brein. Elke nieuwe afregeling brengt nieuwe geluiden met zich mee en alles klinkt weer anders. Dan moet mijn brein weer vol aan de bak. Het is hersengymnastiek ten top in deze periode.

Geduld, doseren en tijd zijn nu belangrijk. Dat betekent ook dat ik zelf mijn grenzen aan zal geven. Mensen komen spontaan langs en dat vind ik hartstikke leuk. Maar ik voel mij vrij om te zeggen als het me niet uit komt, het mij te veel is of wanneer het bezoek mij te lang duurt. Dat heeft niets met de ander te maken, maar alles met mijn energie.

Eind jaren negentig kreeg ik mijn eerste digitale hoortoestellen. Dat was een geweldig mooie ervaring. Ik hoorde van alles wat ik eerder niet kon horen. 's Morgens ging ik met de bus naar mijn stageplaats.

Lopend naar de bushalte vroeg ik mij af wat ik hoorde. Het was een krakend geluid. Ik keek om me heen, maar kon niets ontdekken wat er mogelijk zou kunnen kraken. Op een zeker moment stopte ik met lopen en het geluid stopte op dat moment ook. Het was mijn stoere zwarte leren jack dat kraakte wanneer ik mij bewoog! Ik wist niet dat leer kon kraken.

Nieuw hoorapparaat

Ik ben van mening dat mensen die een nieuw hoorapparaat krijgen, daarin begeleid moeten worden. Het is nogal wat. De wereld klinkt ineens weer anders dan voorheen. Dat is iets wat voor mijn gevoel wordt onderschat. Hoe zou jij het vinden als alles wat je eigen en vertrouwd in de oren klinkt, ineens anders zou gaan klinken? Dat geluiden ineens hard, scherp, luid, dichtbij, anders zijn en dat je je alle geluiden opnieuw eigen moet maken. Dat is een proces dat tijd, energie en moed vraagt. Ik kan mij zo goed voorstellen dat oude mensen moeite hebben met het dragen van hun hoortoestel. De wereld die ze kennen van het slechter horen is hun eigen en voelt vertrouwder dan de wereld van het hoortoestel. Bij het dragen van het hoortoestel horen zij ineens veel geluiden die ze niet eerder hoorden. Of die ineens veel harder zijn dan zij gewend waren. Dit zorgt ervoor dat mensen schrikken, dat ze het onaangenaam vinden, dat ze misschien niet precies weten wat ze horen. Dat brengt een gevoel van onveiligheid met zich mee.

De beloftes dat een leven met hoortoestel alles gemakkelijker maakt en dat men in groepen dan alles veel beter mee kan krijgen, blijken vaak valse beloftes te zijn. In groepen verstaan is voor het overgrote deel van de slechthorenden moeilijk, inspannend en soms zelfs onmogelijk. Dat is dan teleurstellend.

Ik denk dat het rendement van een nieuw hoortoestel veel groter zou zijn, wanneer mensen in de eerste maand of paar maanden per definitie een x-aantal uren per week begeleid worden. Begeleid door iemand met goede oren. Die samen op pad gaan en alle geluiden in en om huis, in de leefwereld van de slechthorende, eigen en vertrouwd gaan maken. De begeleider kan dan vertellen wat er allemaal te horen is en de slechthorende kan vragen: wat is dit wat ik nu hoor? De begeleider kan de ander vertrouwd maken met de geluiden, door ze te benoemen, te herhalen als dat kan (koffiezetapparaat, deurbel, geluid van de deur die dicht gaat, wc doortrekken, televisie, radio, telefoneren, de kraan die loopt, et cetera) Ik denk dat mensen er dan véél meer baat bij hebben, omdat ze het verkennen dan niet alleen hoeven te doen. Daarnaast kan de begeleider met de ander oefenen het apparaatje in en uit te doen, schoon te maken en batterijtjes te wisselen.

Qua muziek is het nog belabberd. Ik kan nog wel zuivere toonladders maken op het orgel en in enkelvoudige stukken herken ik ook veel, maar ik merk er geen duidelijke ontwikkeling in. Afgelopen week heb ik wat klassieke cd's beluisterd, maar het klonk volslagen vals en was onherkenbaar. Dat baart mij wel wat zorgen, eerlijk is eerlijk. We wachten af hoe dit zich verder gaat ontwikkelen.

In de zomer van 2002 waren Hans en ik met Gerrit, een vriend van ons, aan het zeilen. Tijdens het strijken van de zeilen kreeg ik de gaffel op mijn hoofd. 's Avonds gingen we uit eten. Daar zat ik steeds aan mijn hoortoestel te prutsen. Het klopte niet. Ik had een raar gevoel in mijn hoofd. Ik legde het toestel te drogen in de zon, misschien zat er vocht in? Lag het nu aan mijn hoortoestel of aan mijn oren? Ik maakte mij ongerust. De volgende dag was mijn gehoor totaal weg. Voor de derde keer in mijn leven was ik acuut doof. We gingen naar de huisarts ter plaatse en daarna naar mijn eigen kno-arts. Opnieuw werd er besloten tot een prednisonkuur. Deze keer een stootkuur. Dat wil zeggen: met de hoogste dosering beginnen en in zeven dagen snel afbouwen. Verder was het advies: zoveel mogelijk rust. We besloten aan boord te blijven. Dat was de beste plek voor rust. Ik had geen behoefte om naar huis te gaan. Bovendien konden we nu toch alleen maar afwachten. We communiceerden met elkaar door alles op te schrijven. Na ongeveer zeven dagen kwam mijn gehoor terug. Ook deze keer duurde het ongeveer drie weken voordat al het gehoor weer terug was. De lage tonen komen het eerst terug en de hoge tonen het laatst. Dat zorgt ervoor dat het laatste stuk van die drie weken het spannendste is. De hoge tonen zijn zeer belangrijk voor het spraak verstaan, het kunnen horen van medeklinkers en voor muziek. Wel klonk alles weer anders dan ik gewend was, maar het gehoor was er weer. Gelukkig.

Afgelopen vrijdag had ik hoortesten. Qua audiogram is er in de hoge tonen een verlies van 25 tot 30 dB en gemiddeld zit ik op een verlies van 30 tot 35 dB. De foneemscore was 75%. Samen met de audioloog hebben we een nieuwe afregeling gemaakt. De vijfde afregeling. De wereld klinkt weer totaal anders dan daarvoor. Wat gelijk opviel was dat het geluid veel dichterbij klinkt. Ik kan nu auto's van ver horen aankomen. Ik voel mij veel veiliger en daardoor vrijer op straat. Wat een rijkdom!

Ik heb lang uitgesteld om naar de kapper te gaan, omdat mijn haarwortels zo pijnlijk waren. Dat kwam doordat tijdens de operatie de hoofdhuid los is geweest van mijn schedel. Gewoon mijn haren kammen deed al zeer. Vandaag was het zo ver. De kapper heeft mij voorzichtig geknipt en het was lekker, dat getut met mijn haar.

Ik geniet van het geluid van de wind. Wanneer ik achter mijn huis zit en het bij mij niet waait, kan ik het verderop wel horen waaien. Eerst dacht ik: dat kan niet, dat hoor ik vast

niet goed. Ik heb het bij Hans nagevraagd, maar dat kan inderdaad. Dat vind ik zo bijzonder.

Naar aanleiding van deze doofheid kwam ik in contact met professor Cremers uit Nijmegen. Ik ontmoette hem bij mijn eigen kno-arts, dr. Schade. Cremers was en is specialist op het gebied van het syndroom van Pendred en hij vermoedde dat ik dat syndroom had. Hij heeft een DNA/genonderzoek bij mij gedaan en in het voorjaar van 2003 werd het syndroom van Pendred bij mij vastgesteld. Een genafwijking die zowel schildklierproblemen veroorzaakt in de puberteit als ernsti-ge binnenoorslechthorendheid. Met het vaststellen van dit syndroom kwam ook vast te staan dat ik op termijn steeds meer aan gehoor zou gaan inleveren met mogelijke totale doofheid. Tegen die tijd zou ik ook in aanmerking kunnen komen voor een CI. Gelukkig was het nog niet zo ver. Zo'n implantaat dat leek mij maar eng en akelig.

Hoofdstuk 11

Gistermiddag was ik op de snorscooter op weg naar mijn ouders. Er kroop een racefietser achter mij, zodat hij lekker uit de wind kon fietsen. Na een aantal kilometers sloeg ik links af. Hij fietste mij voorbij en zei: "Wat spitich, it fytste sa noflik." (vert.: "Wat jammer, het fietste zo lekker.") Ik zei tegen hem: "Ja, jammer hè." Vervolgens groetten wij elkaar en gingen elk een kant op. Ik zat te juichen op mijn scooter. Zo fantastisch dat ik hem in één keer kon verstaan, al rijdend op mijn scooter met het geluid van verkeer en wind om mij heen. Dat was het hoogtepunt van mijn dag. Mijn hart maakte een sprongetje!

Na die doofheid kreeg ik weer nieuwe hoorapparaten en toen hoorde ik voor het eerst de meerkoeten en de ganzen. Meerkoeten klinken als een toeter die je ook wel bij schaatswedstrijden in het Thialf stadion hoort. Een ontzettend grappig geluid.
Ik fietste destijds elke dag naar mijn werk. Het was de tijd van de trekkende ganzen. Altijd een fascinerend gezicht, zo'n V door de lucht. Op een dag stond de wind blijkbaar dusdanig dat ik, met mijn spiksplinternieuwe hoorapparaat, de ganzen voor het eerst van mijn leven hoorde gakken. Ik stapte van mijn fiets, bleef staan kijken en luisteren. Wat een prachtig magisch oergeluid.

Het knipperlicht in de auto had ik niet eerder zo goed gehoord als toen ik mijn nieuwe hoorapparaat had. Een mooi, bijna rustgevend geluid: tik-tik-tik. Ik kon niet wachten om de bocht in te gaan!

Wat muziek betreft is het nog steeds om te huilen. Ik heb de cd van mijn eigen orgelconcert beluisterd. Ik herkende niets. Het was verschrikkelijk. Ik kon alleen het vierhandige stuk van Wolfgang Amadeus Mozart aan de maatsoort herkennen, maar dat was alles. Dat viel me rauw op het dak en ik had het niet zo dramatisch verwacht. Er zijn mensen die mij vragen hoe het gaat met de muziek. Als ik hun dan vertel hoe slecht en vervormd het nu klinkt, krijg ik verschillende reacties. Sommigen zeggen tegen mij: "Maar spraak is het allerbelangrijkste en wat fijn dat dit zo goed gaat," en vervolgens is het gesprek afgelopen. Anderen zeggen: "Je hebt nog maar zo kort een CI, je mag de hoop nog niet opgeven, het komt vast allemaal wel goed." Natuurlijk is spraak ontzettend belangrijk en ben ik héél blij dat het zo goed gaat. En natuurlijk heb ik het CI nog maar kort en geef ik de hoop ook niet op. Het is allemaal waar en goed bedoeld, maar bij beide reacties voel ik mij wat alleen met mijn verdriet. Het enige wat ik zou willen dat mensen zeggen is: "Wat rot voor je dat het met de muziek nog niet wil lukken."

Het orgel spelen had voor mij een therapeutische werking. Het neutraliseerde mijn gevoel. Ik kon mezelf erin kwijt, mijzelf erin verliezen. Ik heb het zo enorm gemist in de periode van doof zijn, juist toen het bij mij emotioneel een chaos was. In die tijd kon ik het 'parkeren' en dacht ik: éérst een CI en dan verder kijken. Nu heb ik dan mijn CI en probeer ik zo om de dag even te spelen. Het doel is dan een toonladder zuiver te krijgen. Dat doe ik door een toonladder te herhalen en in mijn hoofd mee te zingen. Zodat ik mijn brein instructies geef hoe het zou moeten klinken. In het begin ging dat wel goed, maar sinds een poosje lukt dat niet meer. Het klinkt vals en vervormd. Het is elke keer een emotioneel gebeuren. Mijn nieuwsgierigheid naar hoe het vandaag mogelijk klinkt, wint het van de confrontatie en de mogelijke teleurstelling die erop volgt. Ik hoop zo dat het nog gaat veranderen en ik voel mij erg verdrietig over hoe het nu is. Ik mis het orgel spelen, maar ook gewoon de muziek (klassiek, pop of wat dan ook) in mijn leven.

Zes jaar geleden woonde ik in een dorp en had twee poezen. Ze heet-
ten Jo en Bas, afgeleid van Johann Sebastian Bach. Op een dag was
Bas spoorloos verdwenen. Ik vond het verschrikkelijk om over straat
te lopen en om hem te roepen. Dan was ik zo bang dat hij mij wel
kon horen en misschien wel miauwde, maar ik hem niet kon horen.
Nachtmerries heb ik daarvan gehad. Ik heb Bas niet meer terugge-
vonden. Ik kon het moeilijk van mij afzetten, omdat ik geen afscheid
had kunnen nemen. Uiteindelijk heb ik hem een brief geschreven en
deze brief achter in de tuin begraven. Dat was goed en zo kon ik hem
toch loslaten.

23 juni 2009
De tijd vliegt! Het is deze week tien weken geleden dat ik
mijn CI-aansluiting kreeg.
Er is zo onvoorstelbaar veel veranderd. Het is nog elke keer
genieten wanneer ik bij de kassa in de supermarkt sta en ik
die leuke hoge piepjes hoor wanneer ik met mijn pin betaal.
Dat de caissière aan mij vraagt, terwijl ik mijn boodschappen in de tas stop, "Wilt u de bon ook mee?" en dat ik dat
gewoon kan verstaan. Héérlijk.
Met het oorsuizen gaat het goed. Dat wil zeggen dat ik er
weinig last van heb. Wanneer ik vermoeid ben heb ik wel
last van oorsuizen. Het oorsuizen beperkt zich tot hoge sner-
pende piepen en er zijn geen liedjes meer. Als ik mij goed
voel en het stil is in huis, hoor ik weer de stilte van mijn huis.
Dat 'geluid' heb ik erg gemist in de periode van doof zijn en
ik ben zo blij dat ik dat weer kan horen.
De stemmen van mensen om mij heen klinken nagenoeg
weer zoals ik ze mij herinner. Dat had ik niet verwacht. Bij
mijn eigen stem ligt het anders. Mijn stem klinkt elke dag
anders. 's Morgens wanneer ik wakker word, praat ik even
met mezelf: "No Els, hoe klinksto hjoed?" (vert.: "Nou Els,
hoe klink je vandaag?") Het is nog een beetje 'Donald Duck-
achtig' en het klinkt elke dag anders. De klok klinkt nog niet

stabiel. Wanneer ik een nieuwe afregeling heb, duurt het vaak lang voordat elke slag gelijk klinkt. Dat kan zomaar een week of twee weken duren.

Een week geleden deed ik de tweedaagse beeldhouwworkshop 'verlies verbeelden', waar ik mij voor had opgegeven. Het was een bijzonder mooi weekend. 's Morgens ging ik op de fiets naar Oenkerk. Ik hoorde de meerkoeten en veel vogels waren voor mij aan het zingen. Ik genoot. We waren met twee deelnemers. Het was prachtig weer en er kon buiten gewerkt worden. Ik vond het fijn, dat beeldhouwen. Het was voor mij de eerste keer en zeker niet de laatste. Ik was helemaal in de ban en totaal van de wereld. Die twee dagen zijn omgevlogen. Het was alsof ik in een roes zat waarin tijd niet bestond. Heerlijk. Het is bijzonder en verrassend hoe een steen na al het hak- en raspwerk een metamorfose ondergaat wanneer het beeld onder water wordt gepolijst en uiteindelijk in de was wordt gezet. Dan worden alle kleuren zichtbaar en komen de lijnen van de steen naar voren. Een bijzonder proces. Daar vallen wel wat metaforen mee te maken. Dit was zo'n goede ervaring dat ik inmiddels een aantal grote stenen heb gehaald, gereedschap heb gekocht en Hans voor mij een beeldhouwbok heeft gemaakt.

De huidige afregeling is wel mooi, maar ik merk dat ik toch weer aan een nieuwe toe ben. Het klinkt het allemaal niet meer kraakhelder en ik begin wat met de volumeregelaar te 'spelen'. Volgende week gaan we naar Nijmegen en Sint-Michielsgestel. Dan krijg ik een nieuwe afregeling. Vervolgens reizen we verder naar Viataal waar wij logeren in het logeerhuis en dan volgt er een revalidatiedag. Er wordt dan opnieuw een audiogram gemaakt. Daar ben ik erg benieuwd naar. Ik heb er zin in, ook al zijn het meestal vermoeiende dagen. We ontmoeten daar een stel waar we in de eerste revalidatiedagen mee zijn opgetrokken. Ik ben benieuwd hoe het met hen gaat. Hij heeft ook een CI gekregen. Het is leuk om ervaringen uit te wisselen. Via internet heb ik contact met een aantal mensen die een CI hebben gekregen. Lief en leed wordt er gedeeld. Lang leve internet!

Het UWV is een verhaal op zich, waarbij ik het niet kan laten daar toch iets over te zeggen. Wanneer je wat wilt van het UWV heb je een lange adem nodig. Het kost enorm veel tijd en energie en vaak moet het bij de helsdeuren vandaan komen. De aanpassingen op mijn werk werden aangevraagd door adviesbureau PlanPlan, dé expert op het gebied van aanpassingen op het werk voor slechthorenden. Er moest eerst een formulier ingevuld en opgestuurd worden. Dit heb ik samen met mijn werkgever gedaan. Dan is het wachten, heel lang wachten. Vervolgens komt er een soort 'inspector Morse' op het werk om te controleren of je datgene werkelijk nodig hebt, wat je hebt aangevraagd. Dat vind ik al een soort motie van wantrouwen, maar goed dat hoort erbij. Ik leidde hem vrolijk rond en vertelde hem over het hoe en waarom ik datgene echt nodig had. Ik realiseer mij goed dat een bedrag van ongeveer 30.000 euro veel geld is, maar niet kunnen werken kost de maatschappij toch vele malen meer. Uiteindelijk zo'n drie maanden na de inspectie kreeg ik groen licht van het UWV. Adviesbureau PlanPlan kon alle apparatuur bestellen en op mijn werkplek installeren. Al met al zijn we meer dan een jaar onderweg geweest. Het is de traagheid van een dergelijk grote organisatie als het UWV die ontmoedigt. Dat niet alleen. Ik ontdekte vlak nadat ik het fiat had gekregen, dat er schrijftolken bestonden. Ik vond het raar dat die 'inspecteur' mij daarover niet had geïnformeerd. Kort daarna sprak ik hem aan de telefoon en vroeg hem op de man af waarom hij dat niet had gedaan. Hij antwoordde: het verstrekken van informatie over mogelijke voorzieningen behoort niet tot mijn takenpakket.
Uiteindelijk heb ik alles wat ik nodig had meestal gekregen, maar dat ging soms niet zonder een eerste afwijzing, bezwaarschrift indie-

nen en opnieuw wachten. Het is ook de houding van het UWV, alsof wij zelf totaal geen verstand hebben van wat wij nodig hebben om ons werk goed te kunnen doen, die mij ergert. Alsof wij zelf niet kunnen nadenken en geen oplossingen kunnen bedenken. Alsof ik alles gewoon kan verstaan, maar het gewoon superstoer is zo'n microfoon op tafel te hebben staan. Gewoon voor 'de leuk', jaah!

Schrijftolkvoorziening

Ik maak gebruik van een schrijftolkvoorziening. Dat is een fantastische voorziening waarbij een tolk alles wat er gezegd wordt typt op een zogenaamd veyboard, een speciaal toetsenbord. Ik kan dat dan meelezen op de laptop. Deze voorziening bestaat nog niet ontzettend lang. Bij mijn aanvraag voor een vergoeding van een schrijftolkvoorziening bij een sociale instantie werd ik eerst gebeld met de vraag: wat is een schrijftolkvoorziening eigenlijk? Die persoon die mij dat vroeg, moest ook over mijn aanvraag beslissen. Wel vreemd vond ik.

UWV

Uiteindelijk heb ik fiat gekregen om van de (schrijf)tolkvoorziening gebruik te maken. Als ik nu een tolk wil inhuren, dan kan ik dat regelen via de website van Tolknet. Tolknet is een bemiddelingsbureau voor tolken. Ik voer dan mijn gegevens in, de datum, plaats en tijdstip waarop ik een tolk nodig heb. Daarnaast voer ik in welke tolk ik wens; een schrijftolk of een NmG-tolk, in mijn geval. Dan kan ik kijken of mijn 'voorkeurstolken' beschikbaar zijn. Als er iemand beschikbaar is dan stuur ik hem een bericht met daarin de vraag of hij voor mij wil tolken. Binnen vierentwintig uren krijg ik een bericht terug. Wanneer geen van mijn voorkeurstolken beschikbaar is, kan ik Tolknet vragen voor mij een tolk te zoeken en geef ik hun dan een bemiddelingsopdracht. Ik stuur indien nodig en mogelijk informatie over de te tolken situatie zodat de tolk zich kan voorbereiden. Na afloop van de tolkopdracht, teken ik een formulier dat de tolk mee-brengt. En vervolgens declareert de tolk de kosten bij het UWV.

Hoofdstuk 12

Ik heb het startsein gegeven voor wat betreft het telefoneren. Dat mensen mij weer kunnen bellen. Ik schrik me steeds een hoedje als de telefoon gaat. Ik moet er weer aan wennen dat telefoneren weer tot mijn mogelijkheden behoort. Het bellen is inspannend en het gaat nog niet vlekkeloos, maar het is voor mij goed om met verschillende stemmen te oefenen. Tot nu toe kan ik mannen beter verstaan dan vrouwen. Hoe hoger de stem is, hoe lastiger ik het vind, maar ook dat vraagt oefening. Waar mensen op kunnen letten als zij mij bellen is dat ze de hoorn goed voor de mond houden en rustig spreken. Wanneer ik het niet versta is het van belang dat mensen niet luider gaan spreken. Dat vervormt het geluid. Meestal helpt het de zin anders te formuleren.

Wanneer je een aangepaste telefoon wilt hebben voor thuisgebruik, kom je bijna automatisch in de seniorentelefoons terecht. Vooral als je zo'n slecht gehoor hebt als ik, is de keuze zeer beperkt. Fabrikanten slaan dan twee vliegen in een klap. Ik heb een telefoon voor slechthorenden en als ik onverhoopt ook ernstig slechtziend word kan ik hier ook nog mee telefoneren. De cijfers staan er mega op afgebeeld. Het is een druktelefoon waarbij je niet mis kunt drukken... Geen leuk kleurtje, zelfs niet draadloos en al helemaal geen leuk design. Maar wel op de toekomst voorbereid!

Met het sporten gaat het goed. Ik merk dat ik steeds minder last heb van oorsuizen bij inspanning. Het is fijn om met een CI te kunnen sporten. Ik hoor de diverse apparaten zoemgeluiden maken. Ook hoor ik gehijg. Mensen hijgen zeer nadrukkelijk (het valt mij op dat mannen luider hijgen dan vrouwen). Wanneer Aad, de trainer, achter mij staat en iets tegen mij zegt, kan ik dat verstaan. Weliswaar met inspanning, maar toch. Zo bijzonder!

Met mijn evenwicht gaat het nog niet zo goed. Als ik ga staan, moet ik even zoeken naar balans en als ik op bed lig en mij omdraai tolt de wereld om me heen.

Ik hou van lekker eten en drinken. Met eten heb ik wel een bijzondere relatie. Ik voed mij ermee, troost mijzelf ermee en ik vier er ook van alles mee. De warme bakker zit hier vlakbij in de winkelstraat en zelfs in de periode van een slecht evenwichtsgevoel was de bakker net binnen het haalbare stukje wat ik kon lopen. Als ik mij erg verdrietig of gefrustreerd voelde, dan had de bakker altijd wel een passend broodje. Wanneer ik bezoek kreeg of wat te vieren had, vond ik er ook wel iets lekkers. De bakker kan wel een nieuwe lijn broodjes beginnen. Een broodje geluk, bolletje tranen en een tosti frusti of zoiets. Dat zou wel aanslaan denk ik. Bakkers slaan sowieso wel aan. De bakker in samenwerking met prednison verricht wonderen met mijn lijf. Zomaar zitten broeken klem halverwege mijn bovenbenen. Dus ik bedank de bakker voor zijn steun in mijn goede en kwade dagen en ik ga weer terug naar mijn basis. Gewoon normaal goed eten en even niet snoepen. Alles keert zo langzamerhand weer terug naar mijn normale leven. Heerlijk.

Juli 2006

Beste collega's,

Graag wil ik in deze e-mail aan jullie uitleggen wat er met mij aan de hand is, want ik ben me ervan bewust, dat wanneer ik niets uitleg, mensen ook geen rekening met mij kunnen houden. Wat ik met deze e-mail beoog is, dat jullie mij beter kunnen begrijpen, vooral niet om medelijden op te doen. Ik voel mij erg vermoeid. Dit komt hoofdzakelijk door het luisteren naar en verstaan van mensen. Als ik terugkijk kun je zeggen dat ik al jaren roofbouw heb gepleegd op mijn oren. Mijn leven lang heb ik geleefd als iemand met een goed gehoor. Ik deed alles, kon alles en dat heeft geresulteerd in dat wat ik nu ben en waar ik nu sta. Daar ben ik blij mee. Maar het doen alsóf ik normaal hoor, gaat nu niet meer. Mijn lichaam geeft aan alle kanten aan dat het zo niet meer kan. Ik heb mij in de afgelopen maanden steeds meer moeten ontzeggen en aanpassen om me staande te houden. Het komt erop neer dat ik alles wel wil, maar dit niet meer kan. Zoals bekend ben ik bezig met het verkrijgen van aanpassingen op mijn werkplek. Er valt veel te verbeteren en veel energie te besparen en dat geeft mij hoop en moed. Voorlopig ben ik niet bij de teamvergaderingen aanwezig. Wel zal ik mijn punten aanleveren en daarop feedback vragen. Ik wil jullie vragen of je voor wat betreft werk, meer met mij via de e-mail wilt communiceren. Alle kleine overleggen tussen de bedrijven door, met alle ruis daarbij (als pratende collega's in de ruimte, of bellende collega's) zijn voor mij erg vermoeiend en wil ik tot het minimale beperken. Dat geldt ook voor pauzes in de kantine. Met meerdere mensen in één ruimte zijn, is vermoeiend. Ik heb wel behoefte aan contact dat even niet over het werk gaat. Dus dit blijft een punt van per dag voelen en beslissen.

Misschien hebben jullie ook ideeën waar ik nog niet aan heb gedacht. Hier sta ik altijd voor open. Ik hoop dat jullie wat met deze informatie kunnen en dat dit bijdraagt aan een goede samenwerking, waarin ik met minder inspanning mijn werk kan blijven doen.

Lieve groet,
Elske

Eind juli ga ik een start maken met mijn eigen werk. In mijn werk wordt natuurlijk het uiterste gevraagd van horen, luisteren en verstaan, dus we gaan het langzaam opbouwen. Het is heerlijk dat ik weer kan beginnen en ik kijk er dan ook erg naar uit. Het contact met mijn directe collega's en de gesprekken met cliënten. Het gevoel van nuttig zijn en het ritme wat werken met zich meebrengt heb ik gemist.

In november 2006 ging mijn gehoor voor de vierde keer drastisch achteruit. Dat was een heftige periode. Ik zat al vanaf september 2006 gedeeltelijk in de ziektewet omdat ik de man met de hamer was tegengekomen. Mijn leven lang had ik zelf altijd al het 'werk' gedaan zonder daarbij hulp van anderen te vragen om dingen te doen of te laten waardoor ik beter kon verstaan. Hoe onzichtbaarder mijn handicap hoe beter, was mijn motto. Die vlieger ging niet meer op. Ik trok het niet meer. De koek was op. Ik was depressief van alles. De huisarts wilde dat ik medicatie ging slikken. Ik vond dat niet nodig zolang ik nog fietste en zo'n drie keer per week hardliep. Als ik dat niet meer zou doen, dan kon ik het alsnog overwegen. In november ben ik een volledige week thuis geweest. Die week heeft een enorme ommekeer gebracht. Ik heb op internet gezocht naar alles wat mij mogelijk iets positiefs zou kunnen brengen. Zo heb ik mij toen bijvoorbeeld aangemeld voor een cursus Nederlands met ondersteunende gebaren (NmG). Daarvoor moest een persoonsgebonden budget komen via het Centrum Indicatiestelling Zorg (CIZ). Ik ben bij het Fries Centrum voor Doven en Slechthorenden (FCDS) geweest. Daar is ontzettend veel informatie te vinden. Je kunt er ook boeken lenen die met slechthorendheid of doofheid te maken hebben. Ik had daar een goed gesprek met een van de medewerkers. Ook vond ik informatie bij Oorakel. Dat is een organisatie waar je onder andere hoorhulpmiddelen uit kunt proberen. Met een tas vol folders kwam ik thuis. Alle ideeën ben ik gaan uitwerken en heb daarin prioriteiten aangebracht. Ik gaf mij op voor een workshop 'ontspannen luisteren' van Hooridee, verzorgd door een slechthorende haptotherapeut in Haarlem. Ik ben op zoek gegaan naar de voor mij beste telefoon. Ik deed elke dag iets aan beweging; hardlopen of fietsen. Samen met Gerard, een vriend van mij, kwam ik op het idee om T-shirts te laten bedrukken met door ons bedachte teksten. Die zou ik dan aantrekken bij groepsbijeenkomsten, zodat mensen minder snel zouden vergeten dat ik slechthorend ben. Uiteindelijk heb ik T-shirts laten bedrukken met op de voorkant de tekst: 'Jij hebt de oren, ik de hoortoestellen, zullen we samenwerken?' En op de achterkant: 'Wil je dat ik naar

je luister of lul je gewoon verder?' Dit was een succes. Op dat mo-
ment paste deze tekst goed bij waar ik stond in mijn proces. Ik had
mij stellig voorgenomen uit te komen voor mijn slechthorendheid.
Vastbesloten dat ik alles niet meer alleen ging opknappen. Dat ik ook
iets kon en mocht vragen aan mijn omgeving. Het idee is nog verder
uitgewerkt door T-shirts te bedrukken en te dragen wanneer ik aan
het sporten ben. Wanneer ik sport kan ik vaak mijn hoortoestel niet
in mijn oren houden omdat ik zweet en hoortoestellen niet bestand
zijn tegen zweet. Zonder hoortoestellen ben ik zo doof als een kwar-
tel. Het is dan wel prettig als mijn omgeving dat weet. Niet alleen
in sociaal opzicht maar ook uit veiligheidsoverwegingen. Wanneer ik
aan het hardlopen ben is het voor het verkeer om mij heen belang-
rijk te weten dat ik niets hoor. Eerst liet ik nog een jack bedrukken
met: 'Huh? Ik ben doof.' Ik vond op dat moment dat het quasi lollig
moest zijn. Totdat die tekst niet meer 'paste'. Uiteindelijk werd het
simpelweg: 'Ik ben doof.' Het heeft een poos geduurd voordat ik er
zelf aan was gewend deze kleding te dragen. Het voelde een beetje
als een 'coming out'.

Uiteindelijk hebben al mijn acties ertoe geleid dat ik in mei 2007
door het FCDS ben benoemd tot de meest 'aangepaste' slechthorende
van het jaar. Een slechthorende die het leven voor zichzelf zo opti-
maal mogelijk probeert te maken met behulp van alle voorzieningen
die er zijn. Nu weet ik niet of ik daar blij mee moet zijn. Het is toch
een twijfelachtige eer, want het zegt iets over de situatie.

Nederlands met ondersteunende gebaren

Een groep slechthorenden maakt gebruik van Nederlands
met ondersteunende gebaren (NmG). Er wordt bij NmG
Nederlands gesproken en dat wordt ondersteund met gebaren, zodat ik als slechthorende minder hoef te raden, omdat
ik dan kan zien waar het over gaat. Dat maakt het voor mij
ontspannen. Ik hoef dan niet voortdurend op het puntje van
mijn stoel te zitten om alles te verstaan. NmG is iets heel

anders dan gebarentaal. De officiële gebarentaal heeft een totaal eigen grammatica. Ik kan ook een NmG-tolk inhuren. Daar maak ik gebruik van in grote groepen. Bijvoorbeeld bij een feest. Dan komt er een tolk die naast degene gaat staan die met mij spreekt en tolkt dan wat er gezegd wordt. Het is de bedoeling dat degene met wie ik spreek met mij praat en naar mij kijkt en niet naar de tolk, ook al kijk ik regelmatig naar de tolk om het te verstaan. Dit is vaak even wennen. Ik maak ook regelmatig gebruik van een schrijftolk. Dat heeft hetzelfde ontspannende effect op mij. Het hangt af van de activiteit en de dynamiek van de activiteit welke tolkmethode ik inzet.

Verschillende hulpmiddelen hebben we aangevraagd en toegekend gekregen. De teamvergaderingen bijvoorbeeld waren voor mij moeilijk te volgen. Daarvoor zijn er draadloze microfoontjes, waarmee het geluid dichterbij wordt gehaald. Het geluid klinkt dan duidelijk en helder. Ieder teamlid draagt tijdens de vergadering een microfoontje op zijn revers. De afstand tussen het microfoontje en de mond is klein, waardoor het geluid direct is. Ik draag een soloringleiding. Daarbij zit ik met mijn hoofd in de lus (ringleiding) wat hetzelfde werkt als een gewone ringleiding. Wanneer een collega mijn kamer binnenkwam en ik geconcentreerd achter de computer zat, schrok ik vaak omdat ik hem niet had horen aankomen. Daarvoor hebben we een speciale bel op mijn kamerdeur gemaakt. Wanneer iemand op die bel drukt, gaat mijn trilbuzzer trillen. Die buzzer draag ik in mijn broekzak. Aan het aantal trillingen weet ik of het de bel is van mijn kamer, of de bel is van de hoofdingang of de telefoon. Alles is daarop aangesloten. Dat maakte dat ik ontspannen werd. Ik hoefde niet meer zo alert te zijn. Daarnaast heb ik microfoons op de tafel gekregen waaraan ik mijn cliëntgesprekken voer. Die microfoons zijn eveneens aangesloten op de soloringleiding.

Al deze apparatuur heeft ervoor gezorgd dat ik meer ontspannen mijn werk kon uitvoeren. Ik hoefde niet meer op het puntje van mijn stoel te zitten. Ik kon rustig achterover leunen. Ik vertelde cliënten dat het geen opnameapparatuur was, maar dat het microfoons waren waardoor ik hen gemakkelijker kon verstaan. In het begin van het gesprek waren cliënten er soms nog door afgeleid, maar even later vergaten zij dat de microfoon er stond. Het eigen maken van de techniek, het uitzoeken van wat prettig was en ook het wennen aan de apparatuur was een proces op zichzelf. Al met al duurde dat een klein halfjaar voordat het zijn vruchten afwierp.

Ik had mijn apparatuur een paar dagen. Op de ontvanger, die ik de hele dag om mijn hals droeg, zit ook een microfoontje. Zo gebeurde het dat ik bij het aanrecht in de keuken stond en een appel aan het schillen was. Ik hoorde een gek geluid. Een schrapend, zacht, bijna stotterend geluid. Elke keer wanneer ik stopte met schillen was het geluid weg, tot ik mij realiseerde dat het schillen van een appel dat geluid was. Ik wist niet dat dit ook geluid maakte. Geweldig!

Sinds ik in de ziektewet zit, is het tempo van mijn leven veranderd net als de beleving van 'het druk hebben'. Als ik nu 's morgens naar de sportfysio ga en er 's middags iemand bij mij langs komt ervaar ik dat als een gevulde dag. Terwijl toen ik werkte in de periode voor mijn doofheid, het heel gewoon was dat er iemand kwam eten en ik 's avonds nog even ging sporten.

Ik ben onder de indruk van alle geluiden die wij zelf produceren. Zoals de ademhaling bijvoorbeeld, dat vind ik prachtig. Het heeft iets rustgevends.

Het slikken is een geluid dat verschillend kan klinken, afhankelijk van wat je doorslikt.

Het kauwen is een fascinerend geluid, vooral dat alles wat je kauwt een eigen geluid maakt. Het verschil tussen een koekje en een wortel is enorm. Ik check bij anderen hoe dat bij hen is. Als je een brosse koek eet, kun je dan nog wel iets verstaan? En als je gaapt, versta je dan nog iets? Bij mij gaat het bij de koek beter dan bij het gapen. Ik raak steeds meer vertrouwd met de geluiden van mijn huis. Afgelopen weekend was ik aan het koken en Hans zat in de kamer. Ik hoorde plotseling een raar geluid en schrok me rot! Ik stond in de keuken om mij heen te kijken en in een paar seconden kwamen alle geluiden voorbij wat dat geluid zou kunnen zijn. Ik liep naar Hans en vroeg hem of ik hem had horen niezen. Dat was zo! Ik voelde mij blij en gelukkig op dat moment.

Hoofdstuk 13

Eten en praten of luisteren gaat moeilijk samen. Sommige mensen praten met een mond vol ravage en ik ben dan verplicht om ernaar te kijken, omdat ik moet liplezen. Vermalen nootjes zien eruit als een papperige brei met stukjes erin … Is het je weleens opgevallen hoeveel geluid eten maakt? Het is werkelijk een klereherrie. Het eten van krakerig voedsel, bijvoorbeeld rauwkost of een koek, maakt verstaan voor mij als slechthorende onmogelijk. Wanneer iemand dan onverhoopt iets tegen me zegt, houd ik angstvallig mijn mond gesloten en stop acuut met kauwen, want kauwen = herrie.

Dus wanneer ik eters krijg is het raadzaam te zorgen voor een heerlijk zacht menu. Een soepje vooraf. Dan gekookte aardappelen, met goed doorgekookte spruitjes (brrr …) met oma's draadjesvlees en appelmoes. Ten slotte een puddinkje na. Dan houden we het heerlijk verstaanbaar.

5 juli 2009

Afgelopen week heb ik weer grote stappen gezet in mijn proces van horen met een CI. Ik heb twee nieuwe programma's gekregen, die ik nu uitgebreid aan het testen ben. Met een programma blijkt uit de testen een heel goed spraak verstaan. De foneemscore was 85% en het audiogram liet een gemiddelde zien van 25 dB verlies. Topscores. 's Morgens zat ik te ontbijten en ik hoorde iemand ergens tuinmeubels verschuiven, althans dat dacht ik. Even later ontdekte ik dat het geluid het koffiezetapparaat was dat pruttelde. Dus ook met deze afregeling moest ik alles weer resetten in de database van mijn brein.

Bij de revalidatie heb ik opnieuw telefoontraining gehad. De logopediste belde mij dan elders in het gebouw en deed alsof zij een cliënt was die zich bij het maatschappelijk werk wilde aanmelden. Vooral het verstaan van formele gegevens zoals namen, adressen en telefoonnummers is lastig, maar het ging redelijk goed. Dat geeft vertrouwen voor mijn werk straks.

In september 2007 zijn wij op cursus gegaan om NmG te leren. Hans, mijn ouders en twee vriendinnen en ik. Twee goede en leuke cursussen hebben wij daarvoor gevolgd, gegeven door docenten met eindeloos veel geduld en georganiseerd door het FCDS. Het FCDS werkt onder andere hard om openbare gebouwen optimaal toegankelijk te krijgen voor doven en slechthorenden. De cursus vond plaats in het gebouw van het FCDS en ik schrok van de 'ontoegankelijkheid' ervan. Er was geen ringleiding die gebruikt kon worden, terwijl dat toch belangrijk is voor veel slechthorenden. De verlichting was slecht. Er lagen geen tafelkleden op de tafels waardoor de 'tafelgeluiden' veel meer stoorden dan nodig was. Kortom geen visitekaartje. Ik sprak op een van de eerste cursusavonden met een medecursist en zei tegen haar dat het toch wel een omgekeerde beweging was. Als organisatie werken aan het toegankelijk maken van openbare gebouwen, maar zelf helemaal niet zo toegankelijk zijn. Als meest aangepaste slechthorende kon ik het niet laten er iets over te zeggen. Ik had mijn eigen apparatuur wel nodig, want de gebaren moest ik immers nog gaan leren.

Ik heb nieuw oefenmateriaal meegekregen. Er is weer werk aan de winkel. Oefenen met luisterboeken, muziek, telefoneren enzovoorts. Iedereen die hier komt 'moet' even met mij oefenen. Dan kan ik ook met andere stemmen oefenen. Ik heb besloten niet steeds te switchen tussen de twee programma's maar de hele dag een programma te gebruiken. Vandaag zit ik op programma twee. Dat is een programma dat ingesteld is volgens de 120 kanalen strategie. Advanced Bionics (mijn merk CI) heeft deze strategie ontwikkeld waarmee er aan meerdere elektrodes tegelijk stroom gegeven kan worden. Simpel gezegd worden er bij een toon meerdere elektroden aangezet, waardoor het geluid wezenlijk anders wordt. Vooral op het gebied van muziek zou dat een positief verschil kunnen maken. De audiologen zijn hier wat sceptisch over. Ik merk zelf wel een groot verschil in de twee programma's. De 120 kanalen geven veel meer geluiden tegelijkertijd. Op het gebied van muziek kan ik er nog niets van zeggen. Er zijn twee elektroden uitgeschakeld omdat deze niet deden wat ze moesten doen. Het zijn twee elektroden in de hoge tonen. Deze gaven wel een pijnprikkel in mijn gezicht, hals en hoofd maar het geluid was er niet of nauwelijks en bovendien klonk het geluid niet hoog. De magneet in de spoel die de stroomvoorziening aan de elektroden regelt is verwisseld. Er zit nu een magneet in met een lichtere aantrekkingskracht. Ik had een kuiltje in mijn hoofd door de kracht waarmee de eerste magneet aan het implantaat trok.

Het telefoneren gaat nu stukken beter dan met de vorige afregeling. Eerder verstond ik mannen beter dan vrouwen. Nu is dat verschil veel kleiner geworden. Televisie kijken met behulp van ringleiding gaat nu perfect. Ik kan alles verstaan zonder ondertiteling. Heerlijk.

In de afgelopen week hadden wij een bijzondere ontmoeting met Jos en Annemarie, die wij kennen van de revalidatie. Jos heeft ook een CI. Annemarie is zijn vriendin. Twee lieve en leuke mensen. Zij wonen in de buurt van Viataal en wij hebben hen donderdag thuis opgezocht. Dit was inspirerend. Jos was lange tijd doof. Voordat hij doof werd speelde hij gitaar. Nu hij zijn CI heeft speelt hij weer gitaar en zingt daar ook bij. Hij zit nu zelfs op zangles. Ja, wat een lef, hè. Ongelofelijk. Hij heeft wat voor ons gezongen en gespeeld en dat was super. Zijn plezier in het doen was zo zichtbaar, dat raakte mij diep. Zelf ben ik er zo op ingesteld dat muziek goed, zuiver, steeds beter, mooi en muzikaal moet zijn. Door Jos heb ik weer even kunnen ervaren dat het plezier in het doen toch echt voorop staat. Ik kwam tot de conclusie dat ik niet hoef te wachten op het orgel. Dat ik, los van het orgel spelen, ook iets anders kan gaan beginnen, zonder dat ik het orgel eerst vaarwel hoef te zeggen. Jos liet nog een cd'tje horen waar hij van kon genieten. Die muziek klonk ook goed in mijn oren. Het was voor mij onbekende muziek. Daar zit denk ik de kneep. Zodra ik de muziek ken van vroeger ga ik vergelijken met hoe het eerder klonk. Bij onbekende muziek heb ik die vergelijking niet en ga ik puur af op wat ik hoor. Ik heb nu allerlei muziek van Pixies, wat ik erg leuk vind om naar te luisteren. Dus sinds gisteren klinkt er weer muziek in mijn huis. Wat een muziekinstrument betreft, ga ik onderzoeken wat ik leuk vind en wat mogelijk is. Met het plezier van Jos voor ogen kom ik vast ergens op uit!

In de periodes van acute doofheid heb ik altijd extreem last gehad van oorsuizen. In de jaren waarin ik 'gewoon slechthorend' was, had ik daar alleen last van bij vermoeidheid. Wanneer ik mij goed voelde en mijn hoortoestel niet droeg, was het stil. Met de stilte heb ik altijd een vreemde verhouding gehad. Een soort haat-liefdeverhouding. Aan de ene kant snakten mijn oren met regelmaat naar stilte, geen inspanning, rust en herstel. Aan de andere kant kon ik de stilte niet uitstaan omdat het mij zo bracht bij totale doofheid wat weer zorgde voor gevoelens van onrust, angst en onzekerheid. Vooral na de periode van doofheid in 1994 is dit lange tijd erg moeilijk voor mij geweest. Ik controleerde dan regelmatig of ik nog hoorde door bewust geluid te maken. Het in slaap vallen was een groot probleem. Er kwam dan onvermijdelijk het moment dat ik mijn hoortoestel uit moest doen. Dan was het stil, doodstil. Ik stelde dat moment dan ook zo lang mogelijk uit, totdat ik bijna in slaap viel. Vaak vond ik 's morgens mijn hoortoestel ergens in mijn bed omdat ik al in slaap

was gevallen voordat ik het toestel op mijn nachtkastje had kunnen
neerleggen.
Ik kan mij nog goed herinneren dat ik de stilte vóór 1994 heerlijk
vond. Ik genoot ervan om 's avonds in bed het toestel uit te doen, nog
lekker wat te lezen en te genieten van de stilte. Het hielp mij dan
om ook vanbinnen stil te worden en te kunnen slapen. Na de acute
doofheid was er een soort van angst voor de stilte ontstaan waar ik
moeilijk los van kwam. Het vergde altijd een bewuste mentale actie
om mij daar niet door te laten meeslepen. Het heeft jaren geduurd
voordat ik weer rustig kon gaan slapen zonder de angst te hebben om
doof wakker te worden. De wetenschap dat ik niets kon doen om een
mogelijke doofheid te voorkomen maakte mij rustig en zorgde ervoor
dat ik toch in slaap viel.

19 juli 2009

We zijn bij mijn ouders die een weekje in een zomerhuisje
zitten in Gaasterland. Het is een prachtig huisje dat in het
bos staat. Ik heb ontdekt dat de bomen veel geluid maken.
Ook al waait het beneden niet, het waait bovenin blijkbaar
wel. Het is gewoon een herrie. Dat wist ik niet.

31 juli 2009

Vandaag ben ik op mijn werk begonnen met opbouwen.
Vier keer per week twee uurtjes. Ik moet er weer in komen.
Negen maanden heb ik mijn eigen werk als maatschappelijk
werker niet kunnen doen. Het is zo heerlijk om weer terug
te zijn. Om stukje bij beetje mijn eigen leven weer op te
kunnen pakken. Ik geniet.
De apparatuur die ik op mijn werk heb staan is opnieuw ingesteld. Ik test alles uit. Volgende week heb ik mijn eerste
cliëntgesprekken. Ik kan nog geen cliënten aannemen waarbij ik veel moet bellen, want dat gaat nog niet vlekkeloos. Ik
ga één cliëntgesprek per dag doen. Het is afwachten of ik de
microfoons daarbij nodig heb of niet. Wat mijn werkgever

betreft heb ik het niet beter kunnen treffen. Qua medewerking, geduld, meeleven en ondersteuning. Ik krijg de ruimte om het voor mezelf zo optimaal mogelijk te maken.

In 2003, nadat bij mij het syndroom van Pendred was vastgesteld, werd genoemd dat aan een acute doofheid vaak een klap op het hoofd vooraf gaat. Dit was zo in 2003, toen kreeg ik de gaffel op mijn hoofd en later in 2006 knalde ik met mijn hoofd tegen de lessenaar van een kerkorgel. Beide keren was het gehoor een dag later geheel of gedeeltelijk weg. Wat er gebeurd is bij de eerste twee keren dat ik acuut doof werd, dat kan ik mij niet herinneren. Er werd geadviseerd geen contactsport meer te doen en zoveel mogelijk datgene te vermijden waarbij er een grote kans was om te vallen of mijn hoofd te stoten. Niet boksen, skiën, voetbal, volleybal, enzovoorts. Nu weet ik niet waar botsingen met keukenkastjes, autodeuren en lessenaars onder vallen, maar ik weet wel dat dit vaak de situaties zijn waarbij ik mijn hoofd stoot.

Ik merk dat sommige mensen nu de indruk hebben dat ik honderd procent goedhorend ben. Dat komt waarschijnlijk door mijn eigen enthousiasme over wat ik hoor. Ik blijf natuurlijk slechthorend en hoor maar met één oor. Het luisteren en verstaan in groepen blijft met één oor een lastig verhaal. Mensen die twee CI's hebben kunnen dat veel beter. Zij geven aan dat zij mensen op verjaardagen gemakkelijker kunnen volgen en minder gauw vermoeid zijn. Een ander groot voordeel van twee CI's is dat je beter kunt horen uit welke richting het geluid komt. Dat is fijn en vooral in het verkeer geeft dat een veilig gevoel.

Tips op een rijtje voor goedhorenden in omgang met slechthorenden:

- Maak je zelf zichtbaar; als jij zichtbaar bent, kan de slechthorende gebruik maken van liplezen. Zorg ervoor dat je gezicht in het licht valt, zodat de slechthorende niet hoeft te turen. Zorg voor een goed verlichte ruimte.

- Spreek niet met de hand voor de mond of iets anders voor de mond (glas, sigaret, of iets dergelijks). Een slechthorende maakt vaak gebruik van liplezen en heeft het nodig de mond goed te kunnen zien.

- Voel je niet opgelaten wanneer de slechthorende je strak aankijkt. Dit doet hij vaak omdat hij zich concentreert op het liplezen.

- Wanneer een slechthorende dicht bij je staat is dat meestal omdat hij jou dan beter kan verstaan.

- Wanneer iemand die slecht hoort vraagt: "Wat zeg je?" en hij verstaat het opnieuw niet, probeer dan de boodschap anders te formuleren.

- Herhaal nooit iets met stemverheffing. Door te veel volume vervormt het geluid en wordt de kans op verstaan nog kleiner.

- Spreek niet te snel. Spreek rustig en duidelijk, maar zonder overdreven bewegingen met de mond te maken.

- Spreek niet door elkaar. Dat is niet alleen noodzakelijk voor de slechthorende om alles te kunnen volgen, maar ook voor jezelf is het wel zo prettig.

- Slechthorenden reageren vaak wat trager omdat zij eerst luisteren of ze je verstaan. Wees er alert op dat wat je zegt daardoor iets later binnenkomt.

- Als jij je speciaal tot een slechthorende richt, noem dan eerst zijn naam of raak hem even aan, maar nooit op de rug. Benader de persoon vanuit zijn gezichtsveld en raak dan aan op onder- of bovenarm. Doe nooit grappig door de handen voor de ogen van de slechthorende of dove te houden en te laten raden wie je bent.

- Als je aan een slechthorende namen en adressen moet opgeven, schrijf ze even op.
- Noem zo mogelijk eerst het onderwerp van gesprek, vooral in gezelschap, zodat de slechthorende weet waarover het zal gaan.
- Zorg ervoor dat in een gezelschap ook de slechthorende kan meelachen en meepraten. Probeer hem bij het gesprek te betrekken.
- Als een slechthorende moe wordt door de inspanning van het luisteren en liplezen en zich liever wil terugtrekken, toon daar dan begrip voor. Zeg niet: "Waarom ga je weg nu het juist zo gezellig is," maar "Wat fijn dat je er was."
- Een hoortoestel of CI is een hulpmiddel en geen geneesmiddel dat van de slechthorende een goedhorende maakt.
- Kauwen en luisteren gaat bij een slechthorende vaak niet samen. Waarschijnlijk stellen ze je gezelschap erg op prijs, maar een gesprek voeren tijdens het eten zit er meestal niet in.
- In overleggen, vergaderingen is het vaak prettig na elk halfuur twee minuten 'verplichte stilte' in te voeren. Zo kan de slechthorende (en ook de goedhorenden) even tot zichzelf komen en heeft hij even een luisterpauze.
- Voor een slechthorende is het erg belangrijk te weten waar het geluid vandaan komt. Zorg er altijd voor dat dit duidelijk is, voordat je begint met spreken.
- Als de setting of samenstelling van een groep (groot of klein) verandert, is het goed te vragen wat de slechthorende nodig heeft om het goed te kunnen horen.

- Slechthorenden kunnen vaak moeilijk geluiden weg filteren; alle geluiden worden door het hoorapparaat versterkt. Zet daarom indien mogelijk de achtergrond-muziek uit.
- Het is betrokken en aardig wanneer goedhorenden aan slechthorenden vragen wat zij nodig hebben om alles goed te verstaan en of er aan de huidige situatie wat valt te verbeteren.
- Wanneer de slechthorende vraagt om herhaling, zeg dan nooit: "Laat maar" of "Dat is niet belangrijk." De slechthorende wil graag zelf bepalen wat wel of niet be-langrijk is.
- Lach slechthorenden niet uit, wanneer ze het niet goed verstaan en verkeerd reageren, maar leg ze uit wat er aan de hand is.
- Dove mensen hebben geen of moeilijk controle over hun stem. Dat maakt hun vaak lastig verstaanbaar. Dit betekent meestal niet dat er ook iets mis is met hun verstand.

Als slechthorende kom ik regelmatig in situaties waarin ik de ander niet versta. Ik vraag om herhaling. Een keer herhalen is prima. Bij de tweede keer herhalen span ik me nog meer in om het te verstaan. Bij de derde keer voelt het al wat ver-velend. De ander begint dan vaak ook luider te praten. Dat is de eerste neiging van mensen. Het is belangrijk dat ze weten dat het luider maken van geluid ook vervorming van het ge-luid met zich meebrengt. Het klinkt misschien raar, maar als het verstaan na zes herhalingen maar niet lukt heb ik regel-matig gedaan alsof ik het wel had verstaan. Soms had ik dan de mazzel dat ik even later door de context toch begreep wat de ander had gezegd. Vaak bleef het abracadabra. Het beslist alles willen verstaan hangt af van hoezeer ik mij op mijn gemak voel, hoeveel energie ik heb, waar ik ben en met wie ik spreek. Ik neem mij vaak stellig voor om het niet op te geven en eindeloos te blijven vragen 'Wat zeg je?' net zolang tot ik het werkelijk heb verstaan. Wat helpt is de ander te vragen hetzelfde in andere woorden te zeggen, in plaats van alles tien keer in dezelfde woorden te herhalen. Het vraagt soms een hele inspanning van mij en ook van de ander.

Een goedhorende kan met een 'half oor' luisteren, maar ik heb zo'n beetje een half oor, dus dan blijft er niet zo veel meer over. Dat betekent dat het meestal een kwestie is van alles of niets. Ik luister of ik luister niet. Je hebt mijn aandacht volledig of helemaal niet.

Het is belangrijk te controleren of je dingen goed hebt verstaan. Bijvoorbeeld bij telefoongesprekken met instanties. Ik vertel altijd dat ik slechthorend ben. Dat het voor mij belangrijk is om rustig en vooral niet luider te spreken. Wanneer ik de informatie krijg die ik nodig heb, herhaal ik altijd wat ik heb gehoord om te controleren of deze informatie klopt. Deze methode werkt goed. Veel instanties hebben muziekjes op de telefoon voor wanneer je in de wacht staat. Dat is voor mij en vele andere slechthorenden verschrikkelijk. Het vergt namelijk altijd even tijd om in te tunen op de stem van de persoon aan de telefoon. Vaak mis ik dan sowieso de naam van de ander. Het is gemakkelijker om vanuit stilte op de stem van de ander af te stemmen dan met de nagalm van een liedje in mijn oren.

Steeds wanneer de accu leeg is, voelt het en klinkt het alsof je midden in een boeiend programma de radio ineens uitzet. Nu, met een lege accu, is er helemaal niets aan geluid om mij heen. Het blijft een gekke gewaarwording om dan ineens weer doof te zijn. Vroeger hoorde ik zonder hoortoestellen wel dat er geluid om me heen was, alleen kon ik er niets van maken. Op de Advanced Bionics zit een lampje dat aangeeft wanneer de accu bijna leeg is. Nu heb ik daar achter mijn oor geen ogen zitten en wanneer de accu leeg is stopt het CI er ineens mee. Het is elke keer weer schrikken. Ik vind het vervelend dat dit onaangekondigd gebeurt. Zonder CI ben ik stokdoof en dat vind ik akelig. Op mijn laatste hoortoestel gaf het toestel een paar piepjes ten teken dat de batterij vervangen moest worden. Dan kon ik, wanneer ik bijvoorbeeld telefoneerde, aangeven dat ik even een nieuw batterijtje in mijn toestel moest doen. Het lampje van het CI is bedoeld voor de ouders van een kind met een CI. Zij kunnen dan aan het lampje zien wanneer er een nieuwe accu in moet. Voor de volwassen CI-drager zou het ook wel fijn zijn wanneer er een hoorbaar of voelbaar waarschuwingssignaal op zat. Ik zal dit mailen naar de firma Advanced Bionics. Als we niet aangeven wat eraan verbeterd kan worden zal er ook niets veranderen.

Van Greetje, een hartsvriendin, kreeg ik een door haar zelf gemaakt oor van speksteen. Met daarbij de boodschap: 'Om jou eraan te herinneren dat jij meer bent dan je oren alleen, bovendien hoor je ook veel meer dan met je oren alleen.' Dit is wel een van de bijzonderste cadeaus die ik ooit heb gekregen. Het oor ligt ter inspiratie op mijn bureau.

Goed voor jezelf zorgen is belangrijk voor iedereen en zeker wanneer je een beperking hebt. Een beperking die de communicatie met mensen in de weg kan staan vraagt veel energie. Mijn ervaring is dat het beter is daar rekening mee te houden dan daar aan voorbij te gaan. Jarenlang ben ik eraan voorbijgegaan, maar de man met de hamer komt. Dat is een kwestie van tijd. Het is zo belangrijk om goed voor jezelf te zorgen. Het rare is dat ons dat niet wordt geleerd. We moeten met alles meedoen, zoveel mogelijk. Gewoon doen, net als iedereen. We bewegen ons in grote groepen, op school, werk, sport, uitgaan, familie.

Er is nog nooit iemand geweest die tegen mij heeft gezegd: "Realiseer jij je wel hoeveel energie een 'gewoon leven' jou kost? Plan jij je dag wel goed in? Houd je rekening met je slechthorendheid in je dagelijkse leven?" Ik vond het gewoon dat ik alles deed net als ieder ander en anderen vonden het daardoor ook gewoon. Ik herinner me wel dat ik regelmatig een dag vreselijke hoofdpijn had, waardoor ik niet naar school kon. Achteraf denk ik dat dit gewoon oververmoeidheid is geweest.

Ik ben altijd alert. Dat alert zijn kost mij de meeste energie. Op straat ben ik alert, in de trein, op het werk, in gezelschap, altijd en overal. Ik hoor iets, weet vaak niet gelijk wat ik hoor, ik ben bezig met het geluid, vraag me dan af of ik iets moet met datgene wat ik hoor. Dat is het vermoeiende aan het niet goed kunnen horen.

Wanneer ik op mijn werk mijn dag indeel, komt het zwaartepunt van mijn werk daar waar dat mogelijk is op de morgen te liggen. 's Morgens heb ik de meeste energie. Aan het einde van de dag een teamvergadering hebben is dodelijk vermoeiend. Het regelmatig wisselen van werkzaamheden (gesprekken voeren, administratie doen) helpt bij het vinden van een balans.

Tussen de middag met collega's een broodje eten is gezellig, maar ook inspannend. Dat wil niet zeggen dat ik het niet leuk vind. Voor mij zijn uren op de dag zonder geluiden om mij heen en zonder dat ik hoef te luisteren, noodzakelijk. Luisterpauzes noem ik het wel. Dat is voor mij essentieel om de dag goed door te komen en zorgt ervoor dat ik geen roofbouw pleeg. Soms kies ik ervoor om iets wel te doen, waarbij ik vooraf al weet dat ik het de volgende dag moet bezuren. Dat is vaak dan ook iets bijzonder leuks waar ik het voor over heb. Nu en dan is dat prima, maar ik functioneer het beste bij een goed ingedeelde dag. Zolang ik daar rekening mee houd, kan er veel.

Verjaardagen zijn vaak dramatisch. Te veel pratende mensen in een kleine ruimte. Daarbij vaak woningen met parket, plavuizen en luxaflex of lamellen. Het geluid weerkaatst en echoot, wat het tot een kakofonie van geluiden maakt. De meeste verjaardagen laat ik aan mij voorbijgaan. Ik vind het wel jammer, want ik houd van gezelligheid. Het gaat niet eens zozeer om de verjaardagen maar meer om het gevoel dat ik daarin geen keuze heb. Mijn eigen verjaardag ben ik anders gaan vieren. Op mijn vijfendertigste verjaardag ben ik met mijn vriendinnen gaan ontbijten. Op het voor mij beste moment van de dag. Dit was een succes. Zo zoek ik naar andere wegen. Het is de kunst om altijd te proberen voor het meest optimale te gaan. Soms betekent dat ook anderen teleurstellen.

Hoofdstuk 14

augustus 2009

Thuis heb ik een klassiek elektronisch orgel. Dat staat boven. Elke keer als ik boven kom om bijvoorbeeld de was op te hangen, zie ik het orgel. Ik kijk er vaak bewust niet naar, omdat ik niet steeds van slag wil zijn. Het roept veel verlangen en verdriet bij mij op. Dat het zó heerlijk zou zijn als ik weer lekker kon genieten van mijn eigen orgel spelen.

Aanvankelijk zou ik het orgel spelen een jaar de tijd geven. Nu merk ik aan mezelf en de ervaringen met het spelen met het CI tot nu toe, dat het wel duidelijk is. Het orgel is een te complex instrument voor een CI. Met veel verdriet schrijf ik naar beide kerken waar ik speel dat ik stop als organist. De laatste afregeling met een programma met 120 kanalen heeft niet geleid tot een beter kunnen horen van muziek. Alle muziek en dus ook het orgelspel klinken dramatisch slecht. Vals en vervormd. Ik merk en voel aan alles dat ik het orgel spelen moet laten gaan. De kans dat ik dat ooit weer kan doen is zo minimaal. Een orgel heeft verschillende registers. Dus eigenlijk kun je meerdere instrumenten tegelijkertijd inschakelen. Je hebt fluitregisters, trompetten, cornetten, violen, et cetera. Elk register heeft zijn eigen aantal zwevingen in het geluid. Als er meerdere registers openstaan, komen er veel verschillende geluiden bij elkaar. Bovendien speel je op een orgel meerdere tonen tegelijk. Met beide handen en voeten. Het geluid wat dan uit zo'n orgel komt is denk ik gewoon te moeilijk voor het CI om te vertalen. Er zitten zestien elektroden in mijn hoofd. Als je dat afzet tegen een gezond, goed horend oor, met 30.000 cellen die het geluid vertalen dan kun je er denk ik iets bij voorstellen. Ik stop ermee. Nu ik het zo schrijf voel ik me rustig maar somber.

Bij vlagen jank ik me suf omdat ik toch mijn grote liefde moet laten gaan. Het heeft zo lang zo'n immens belangrijke functie in mijn leven gehad. Het orgel spelen maakte dat ik in balans bleef. Het neutraliseerde mijn gevoel. Ik speelde alle dagen en in elke stemming. Na een halfuurtje of een uurtje spelen voelde ik mij lekker en ontspannen. Ik heb veel geleerd van het orgel spelen. Om mezelf vrij te voelen in mijn spel. Dat ik mijn gemoedstoestand kan beïnvloeden door een sfeer bij mijzelf op te roepen. Geduld met mijzelf te hebben. Ook heb ik geleerd mijn aandacht te richten op wat er goed gaat en mild te zijn over de foutjes die ik maak. De schoonheid van een muziekstuk zit niet in het foutloos spelen. Het zit niet in de techniek. Het gaat erom dat ik mijn gevoel eraan kan verbinden. Ik heb geen idee wat een leven zonder orgel spelen is. In de periode van doofheid leefde ik nog steeds met veel hoop dat ik met CI de draad weer zou kunnen oppakken. In het begin van de revalidatie leek het nog positief. Naarmate ik verder kwam met de afregelingen werd het slechter. In het begin was ik blij met iets van herkenning, maar daar bleef het bij. Mijn opa, die ook organist was, speelde nog toen hij bejaard was. Ik heb altijd beseft dat dit voor mij weleens anders zou kunnen zijn. Een jaar of vier geleden vroeg mijn vader mij: "Wanneer ik dood ga, wil je dan 'Herzlich tut mich verlangen' van Johannes Brahms op mijn begrafenis spelen?" Ik zei: "Ja, natuurlijk wil ik dat" en dacht erachteraan: als dat dan nog kan. Het mogelijk noodgedwongen moeten stoppen met orgel spelen is altijd bij mij geweest. Nu is het dan zover.

Wat ik in die tijd ook ontdekte was de strijd tussen doven en slechthorenden. Dat het twee gescheiden groepen zijn. De slechthorenden die veelal neigen zich te voegen naar de horende wereld en zich gehandicapt voelen, want qua communicatie is het toch behelpen. De doven die een geheel eigen cultuur hebben, die de meeste contacten binnen de dovencultuur hebben en zichzelf niet als gehandicapt ervaren. Ik zet dit nu wat zwart-wit neer, maar dit is wat ik tegenkom op internet bijvoorbeeld. Ik schrok toen ik las dat er doven zijn die een CI als een bedreiging voor hun cultuur zien. Op forums, websites en in bladen kom ik mensen tegen die zoveel frustratie en pijn met zich meedragen dat zij elkaar niet meer met respect kunnen zien of spreken. Er ging een onbekende wereld voor mij open. Dat alles stemde mij verdrietig. Het gevoel dat wij elkaar, allemaal met verminderd gehoor of totale doofheid, beoordelen, veroordelen. Dat er doven schijnen te zijn met een kleine letter d en doven met een grote letter D. Doven met een hoofdletter zijn doof geboren, communiceren in gebarentaal, hebben op de dovenschool gezeten. Doven met een kleine letter zijn doven die buiten die groep vallen. Die Nederlands spreken, die geen gebaren-taal kennen, of alleen Nederlands met ondersteunende gebaren ken-nen. Het zijn vaak mensen die in de horende wereld hun leven leiden en zich niet of slechts deels in de dovencultuur thuis voelen.

Eerder dacht ik: ik wil later werkelijk iets doen met mijn slechthorend zijn in mijn vak als maatschappelijk werker. Ik wil dan werken voor en met slechthorenden en doven. Nu ik die informatie allemaal heb gelezen, krab ik mij nog wel een keer op mijn hoofd, of ik daar nu zo'n zin in heb?

Op internet las ik verschillende verhalen van CI-gebruikers. Er zijn mensen die zichzelf nog steeds als doof beschouwen ondanks dat ze een CI hebben. Anderen, zoals ik, voelen zich niet meer doof maar slechthorend. Ik was altijd slechtho-rend, uiteindelijk werd ik doof, nu met een CI hoor ik meer dan ooit tevoren. Ik heb het gevoel dat ik goed en veel hoor. Het is maar net waar je vandaan komt, denk ik. Zo heb ik contact met Dick, die altijd goedhorend was, plotsdoof werd en nu CI-drager is. Hij is er per definitie op achteruit gegaan qua gehoor, ook al draagt hij nu een CI. Dick speelde ook orgel. We hebben elkaar ontmoet op een forum. Sindsdien delen wij onze ervaringen.

'In mei 2008 ben ik plotseling volledig doof geworden. Een vreemde en vervelende ervaring. Ik was heel "blij" te lezen dat Elske, net als ik, ook geen orgel meer kon spelen. Het was niet meer alleen míjn probleem. Er was nog iemand op de wereld die hetzelfde ervaarde als ik. Onze naasten weten hoe lastig het is. En hoe vervelend het is om niet goed te kunnen horen. Maar ze weten niet uit eigen ervaring hoe het voelt om die vreselijke misvormde geluiden te moeten horen. Nooit meer genieten van muziek. Niet meer zelf kunnen orgel spelen. Elske weet wel hoe dat voelt. En ze kan het ook nog eens goed onder woorden brengen. Ik voel volledig met haar mee en zij met mij. Dat is een hele troost. Het ligt niet aan míj. Ik beeld mij niets in. Er is nog iemand die dezelfde klachten heeft als ik. Ik ben niet de enige die vreemde herrie hoort die niemand anders kan horen. Ik ben niet de enige die niet meer van muziek kan genieten. De tonen zijn vreselijk vervormd. Niet meer om aan te horen! Iedereen leeft met mij mee en iedereen vindt het erg voor me. Maar Elske weet uit eigen ervaring wat ik voel en mee moet maken! Zij begrijpt echt hoe ik dit beleef. Dick.'
Wat Dick schrijft is geheel wederzijds, dat mag duidelijk zijn.

Ik ben weer aan het hardlopen bij de atletiekvereniging Lionitas. Heerlijk is dat weer. Lekker buiten sporten met CI. Nu kan ik lopen en onder het lopen een praatje maken met iemand. Dat is zo'n bijzondere ervaring. Met een hoortoestel kon dat niet. Alleen wanneer het echt hard regent, loop ik zonder CI. Ik draag nog steeds mijn T-shirts en jack met 'ik ben doof' erop gedrukt. Tot op de dag van vandaag voelt dat goed. Ook met CI ben ik slechthorend. Het geeft mij een veilig gevoel in het verkeer om met deze kleding te lopen. Zolang ik mij daar goed bij voel, blijf ik ze dragen. Ik ben druk bezig mijn conditie op te bouwen. Ik ga twee keer per week naar de sportfysio Spectrum en twee keer per week ben ik aan het hardlopen. Het zet zoden aan de dijk.

Wat ik altijd vreselijk vond en nog steeds vind, is wanneer een ander geneigd is voor mij te bepalen of iets belangrijk is of niet. Sterker nog: wanneer ik iets niet heb verstaan, ik om herhaling vraag en de ander dan besluit het niet te herhalen omdat het in zijn ogen niet belangrijk is. Vroeger liet ik mij afschepen. Het maakte mij dan wel woest, maar ik was dan zo door de situatie overdonderd dat ik er niets van zei. Nog steeds gebeuren deze dingen. Dan vraag ik: "Wat zeg je?" En wordt er geantwoord: "O, laat maar, is niet belangrijk." Dan reageer ik meestal: "Dat bepaal ik liever zelf of het wel of niet belangrijk is." Het is vaak zo dat mensen niet in de gaten hebben wat ze doen.

Het luisteren en verstaan is nog wel vermoeiend, omdat ik voor mijn gevoel alles hoor. Dan heb ik het met name over omgevingsgeluiden. Het is moeilijk om in te zoomen op de spreker en al het andere overbodige geluid weg te filteren. Het telefoneren lukt steeds beter zonder honderd keer te hoeven zeggen: "Wat zeg je?" Ik geniet van alle geluiden en dat ik mensen kan verstaan. Het is zo mooi om weer te kunnen praten met mensen. Heerlijk.

Wanneer er grappen worden verteld ben ik de laatste die dat verstaat. Vaak is het zo dat zodra de clou duidelijk dreigt te worden, de eerste lachsalvo's al komen en het daardoor voor mij onverstaanbaar wordt. Vroeger vond ik dat ronduit verschrikkelijk. Nu vind ik het niet leuk, maar ik vraag wel wat de grap was. Ik wil het weten. Ook al ben ik de laatste die dan moet lachen.

Tips op een rijtje voor slechthorenden in omgang met goedhorenden:

- Vertel dat je slechthorend bent, om misverstanden te voorkomen.
- Als je dichter bij mensen wilt staan, vertel hun dan ook dat je dat graag wilt om hen beter te kunnen verstaan. Mensen kunnen het onplezierig vinden als iemand zo dichtbij komt staan, maar als ze weten waarom je dat doet, is het vaak geen bezwaar meer.
- Leg uit wat de ander kan doen om zich voor jou beter verstaanbaar te maken. Wanneer een goedhorende weet dat jij slechthorend bent, betekent dat niet dat de goedhorende ook precies weet wat hij moet doen om zich verstaanbaar te maken. Het is belangrijk dat je dat vertelt en uitleg geeft.
- Zorg dat je hoortoestel/CI goed werkt en eventuele apparatuur goed ingesteld staat.
- Spreek zelf rustig en duidelijk, waardoor de ander ook duidelijk zal gaan spreken.
- Zorg dat je steeds aan de goede kant van de spreker zit of staat. Zelfs wanneer dit moeite kost of dat je een ander moet vragen met jou van plek te wisselen. Ga voor niets minder dan het allerbeste!
- Zorg dat je zo staat dat je niet tegen het licht hoeft te kijken; zodat je ontspannen kunt liplezen.
- Vraag om herhaling wanneer je iets niet hebt verstaan.
- Vraag waar het gesprek over gaat, wanneer je dat niet weet.
- Doe niet alsof je het verstaan hebt als dat niet het geval is. Hierdoor ontstaan misverstanden.
- Schaam je niet als je verkeerd hebt gereageerd omdat je het niet goed hebt verstaan. Leg uit dat je het niet goed hebt verstaan.

- Probeer open te zijn over je slechthorendheid. Het is belangrijk dat je vertelt wat het betekent om niet goed te kunnen horen. Hoe meer je deelt en hoe duidelijker je bent in wat je nodig hebt om goed te kunnen verstaan, hoe groter het begrip zal zijn van de goedhorenden om je heen.
- Zorg voor voldoende textiel (vloerbedekking, behang en gordijnen), om geluid zoveel mogelijk te absorberen, waardoor de omgeving rustiger wordt en daardoor beter verstaanbaar.
- Als de achtergrondmuziek niet uit kan (bijvoorbeeld bij een bruiloft) ga dan desnoods met je gesprekspartner naar een andere rustigere ruimte.
- Vraag mensen namen, adressen, telefoonnummers, getallen voor je op te schrijven. Deze gegevens zijn vaak moeilijk te verstaan. Maak het jezelf gemakkelijk daar waar het kan.
- Realiseer je dat jij je wensen altijd en overal kenbaar zult moeten blijven maken. Je zult altijd en overal de aandacht moeten vragen om de situatie zo optimaal mogelijk voor jezelf te kunnen maken.
- Wanneer je grapjes niet hebt verstaan, vraag gerust om herhaling. Het zou zonde zijn wanneer je dat aan je voorbij laat gaan. Wie het laatst lacht, lacht het best!
- Doe het niet alleen. Vraag mensen om je heen met je mee te denken en je te steunen daar waar mogelijk.
- Zoek professionele hulp als je dat nodig hebt.
- Leg aan mensen uit dat jij je terugtrekt uit een gesprek omdat je vermoeid bent. Dit bevordert het begrip daarvoor.
- Leg aan mensen uit dat ze niet harder hoeven te praten. Rustig en duidelijk spreken helpt, luider spreken niet.

- Wanneer mensen moeten lachen om wat je zegt omdat je het blijkbaar niet goed verstond, vraag dan wat er gezegd werd, zodat je zelf ook nog mee kan lachen.
- Maak gebruik van voorzieningen als schrijftolken, gebarentolken, NmG-tolken, apparatuur; oftewel: alles wat kan bijdragen aan een betere communicatie.

Vandaag was ik op de begrafenis van pake (vert.: opa) Heslinga. Hij is niet mijn echte pake, maar zo noemde ik hem. En voor velen is hij een lieve pake geweest. Op het afscheid werd muziek gedraaid. Ik ontdekte pas in de allerlaatste seconden van een liedje dat het 'Papa' van Stef Bos was. Tranen. Niet om pake, maar om mijzelf. Stef Bos is een van mijn favoriete zangers en ik herkende het liedje niet. Dat is dan ook zo'n moment dat ik mij goed realiseer dat muziek een lastig verhaal is met CI. Ik heb zoveel mooie cd's en kon er zo van genieten. Dat is het moeilijkste stuk van dit CI-verhaal.

Ik schreef over het 'uitkomen voor je beperking'. Dit is een lastig stuk omdat we daarin vaak belemmerd worden door onszelf en door mensen om ons heen. Ik noem het voor het gemak even onderdrukking. We onderdrukken onszelf bijvoorbeeld doordat we niet genoeg vertrouwen hebben in ons eigen kunnen of omdat we eerder pijn hebben opgelopen waardoor we geen teleurstellingen meer kunnen verdragen. Er zijn talloze redenen te bedenken die maken dat wij onszelf op onze plek houden. Onszelf weerhouden om stappen te zetten in ons leven, om een andere weg in te slaan of onszelf uit te dagen. De belangrijkste reden om te blijven waar je bent is dat het de weg is van de minste weerstand. We hebben allemaal te maken met dingen die gebruikelijk zijn in het leven. Je valt zo op als je het anders doet. Maar de druk om het anders te doen is groter omdat 'normaal doen' ons zo veel extra inspanning kost door onze handicap. Voor onszelf opkomen betekent dus dat wij vaker en meer op de barricades moeten dan iemand die niet gehandicapt is. Gewoon doorgaan met wat je altijd al deed is dan makkelijker dan uitbreken. Het rare is vaak dat we daarin bevestigd worden door onze omgeving. Zij zijn, vaak vanuit de beste bedoelingen, beschermend naar ons toe. Willen dat ons geen pijn wordt gedaan of dat we geen teleurstellingen oplopen. Dus heb je het redelijk voor elkaar, wens dan niet te veel, want dat wordt niets. Wees blij met dat wat je hebt. Juist mensen met een beperking, wat voor beperking dan ook, zouden gestimuleerd moeten worden om dat te doen wat ze het liefste willen. De omgeving zou daarin juist een geweldig vangnet kunnen zijn voor als het wel op een teleurstelling uit zou draaien. Het leven geeft vaak veel meer voldoening als je gaat voor wat je ten diepste het liefste doet vanuit je mogelijkheden, je kracht en capaciteit, dan wanneer je op je plek blijft vanuit pijn en teleurstelling. Wat ik bijvoorbeeld merk is dat je als gehandicapte toch al zo blij moet zijn dat je een baan hebt. Dat je mee mag doen. Dat is denken vanuit beperking in plaats van vanuit mogelijkheden. Ik heb eerder het idee dat mensen het moeilijk vinden, lastig vinden om met mensen om te gaan die wat mankeren. Je moet van alles, er moeten dan dingen anders, wat een ingewikkeld gedoe allemaal. Het confronteert gezonde mensen ook met onvolmaaktheid. Eigenlijk moeten gehandicapten gewoon blij zijn met de baan die ze hebben. En niet alleen blij, maar vooral ook dankbaar. Dat er een werkgever is die jou in dienst wil nemen. Die houding is voelbaar, merkbaar en houdt mensen op hun plek. Geen 'gejobhop' voor ons. Dat gehop is nergens goed voor.

Onlangs schreef ik een open sollicitatiebrief naar het Audiologisch Centrum. Een goede en professionele organisatie met een geweldige missie. Het doel dat zij nastreven is het verbeteren van de communicatiemogelijkheden van slechthorenden en mensen met taal- en spraakproblemen. Ik zou daar in de toekomst graag werkzaam willen zijn als maatschappelijk werker. Dat zou een mooie stap zijn in mijn loopbaan. Ik kreeg een e-mail terug met daarin: 'Uw open sollicitatie naar een functie als maatschappelijk werker bij onze organisatie strekt het AC tot eer. Immers bent u ook een patiënt van ons (geweest) en als iemand vanuit die achtergrond hier dus ook zou willen werken, dan kan het allemaal niet verkeerd zijn wat wij doen. U zou overigens niet de eerste zijn die met een communicatiehandicap is aangenomen. Zo heeft een medewerker van een ander filiaal tinnitus.' Misschien bedoelen zij het niet zo en ben ik hier extra gevoelig voor, maar voor mij spreekt hier ook een dankbaarheidsgehalte uit. Zo van: er werkt iemand met oorsuizen op een ander filiaal van het AC, hoera! Wij hebben ook een gehandicapte in dienst. Ik vraag mij dan af: hoe kan het dat er op dit AC nu kennelijk niemand werkt die ervaringsdeskundig is? Als het doel is om mensen beter tot hun recht te laten komen door het verbeteren van hun communicatiemogelijkheden, dan zou je daarin toch ook een voorbeeld willen zijn door meerdere mensen met een auditieve beperking in dienst te nemen? Ik begrijp het niet. Wat zorgt ervoor dat het is zoals het is?

Afgelopen zaterdag was ik samen met Karla, een andere hartsvriendin van mij, naar een zomerworkshop beeldhouwen. Het was weer een heerlijke dag. Ik kon mij helemaal uitleven in een mooie steen en er is weer een prachtig beeld uit tevoorschijn gekomen. Een dagje zo van de wereld zijn, lekker bezig, zonder dat het iets moet worden of dat het ergens toe moet leiden.

Begin september

Vandaag had ik mijn eerste cliëntgesprek. Dat was een hoogtepunt. Het ging goed. Misschien twee of drie keer in het gesprek van een uur, moest ik vragen om herhaling. Aan het einde van dit gesprek ontdekten wij dat Fries onze moedertaal is en schakelden we daarop over. Dat zorgde ervoor dat ik deze cliënt nog beter kon verstaan. Op de een of andere manier – en dat is gek genoeg ook zo bij het liplezen – kan ik mensen beter verstaan wanneer zij Fries spreken. Het is de taal van mijn hart, dat zal het zijn.

Hans heeft de schommelingen van mijn slechthorendheid met mij meegemaakt. Vooral in de laatste jaren waarin ik steeds meer paal en perk ging stellen aan wat ik wel en niet deed was het voor hem ook niet altijd even gemakkelijk. Ik stelde mijn grenzen en hij moest dan zijn eigen plan trekken. Bijvoorbeeld met verjaardagen bleef ik niet urenlang zitten, maar wilde na een uurtje, anderhalf weer naar huis. Dan was het voor mij genoeg geweest. Hans besloot dan mee naar huis te gaan of nog even langer te blijven. Soms ging ik niet mee, omdat ik geen puf had en dan ging hij alleen. De periode van doofheid was een zware tijd in onze relatie. Het was moeilijk dat wij niet alles met elkaar konden delen omdat de moeizame communicatie ons daarin belemmerde. Dan ontdek je hoe belangrijk de mondelinge communicatie is. Dingen die niet noodzakelijk waren, maar wel veel inspanning kostten om naar mij te communiceren, die werden niet verteld. Je mist dan toch veel van elkaar. Ik denk dat ik meer van Hans heb gemist dan andersom. Ik hoefde immers die moeite niet te doen. Ik kon gewoon praten (met een stem met weinig kleur). De inspanning moest van de andere kant komen. Andere dingen waren al wat 'gewoner'. Gezellig samen in het donker in bed keuvelen, lukte al jaren niet meer. Dat verdriet had al een plek. Wat we allebei misten was een discussie ergens over kunnen beginnen, een boom ergens over opzetten, maar ook ouwehoeren, keten, grapjes. Samen naar muziek luisteren of naar een concert gaan was er niet bij en het was afwachten of dat met het CI weer kon. Alle onbelangrijke dingen zijn belangrijk en dragen bij aan de jeu van het leven. Hans is voor mij in dit proces erg belangrijk geweest om dingen voor mij te relativeren. Bijvoorbeeld mijn angst dat ik op een zeker moment mogelijk te veel zou horen om in aanmerking te kunnen komen voor een CI, werd ter plekke door hem getackeld. Na de CI-aansluiting gingen we experimenteren met muziek, wat ik wel wilde maar niet durfde, daarin nam hij het voortouw. Bij zowel teleurstelling als blijdschap was hij er voor mij. Wij hebben een goede basis. Onze relatie kan wel een storm verdragen. Dat blijkt.

Op school werd er veel verteld, mondeling overgedragen. Wanneer er in de klas verhalen werden verteld kreeg ik daar weinig van mee. In oude rapporten van de lagere school staat dat ik veel van de mondelinge overdracht mis. Er staat niet bij wat daaraan gedaan zou kunnen worden. Ik mis algemene kennis doordat ik die verhalen niet heb kunnen volgen.

Als de kerstvakantie in aantocht was, dan mocht er 's morgens weleens een kaarsje aan in de klas. Dan vertelde meester of juf een verhaal. Daar kreeg ik niets van mee. In het kaarslicht kon ik moeilijk liplezen. Ik vond de sfeer van kaarslicht wel heel speciaal.

Op alle opleidingen heb ik veel informatie uit boeken gehaald. Veel colleges gevolgd, waarbij ik alleen maar luisterde en geen notities maakte. Luisteren en schrijven ging niet goed samen zonder informatie te missen. Op alle scholen en opleidingen heb ik het getroffen qua loyale medestudenten wiens aantekeningen ik over mocht nemen.

Als ik nu naar bed ga, is het niet moeilijk om mijn CI af te zetten. Ik weet dat dit blijft. Ik hoef mij geen zorgen te maken. Daardoor kan ik weer van de stilte genieten omdat ik nu kan (blijven) kiezen. Wanneer ik 's morgens wakker word en ik mijn CI opzet en aanzet begin ik op het zachtst. Het verschil is zo groot van doof naar CI op normale sterkte, dat kan ik niet ineens verdragen. Dat bouw ik 's morgens langzaam op.

Ik heb weer heerlijk met buurman Jan geouwehoerd vandaag. Zo fijn dat het weer kan. Jan zei: "Jij geniet ervan, hè, dat dit weer kan." Inderdaad! Met volle teugen. Buurman Jan is zo'n buurman waar ik iedereen een exemplaar van gun. Altijd vrolijk, praatje vol zin en/of onzin, een heerlijke buurman. Zo heb ik ook een lieve overbuurvrouw, Joke, zij houdt van poezen en de poezen in de straat zijn dol op haar. Joke, staat altijd voor me klaar. Ik waardeer haar openheid en eerlijkheid. Zo heeft zij mij in de afgelopen maanden weleens verteld dat ze het nu en dan best wel moeilijk vond om even contact met mij te maken. En dat dit komt omdat ik mijn familie, vrienden, collega's en buren, dus ook Joke, via de e-mail op de hoogte houd van hoe het met mij gaat. Ik ben blij dat ze zulke dingen tegen mij zegt. Dan begrijp ik het ook.

Songteksten van liedjes, kende ik niet. Ik verstond er niets van. Ik verzon soms mijn eigen teksten bij nummers. Als ik later ontdekte wat werkelijk de tekst was, viel dat best weleens tegen. Dan vond ik de teksten maar flauw. Daar werd een nummer ineens minder leuk of mooi door.

Wij zaten gisteravond met vrienden buiten. We dronken een glaasje wijn en genoten van een heerlijke zomeravond. Ineens klonk er vuurwerk. Ik kon niet geloven dat het vuurwerk was. Met een hoorapparaat klonk vuurwerk altijd spectaculair. Nu klinkt het alsof iemand wat stenen in een betonmolen gooit. Ik vind het maar een stom geluid.
Het is nu zaterdagmorgen en ik heb het even helemaal gehad. Ik baal ervan dat ik niet een mooie cd kan beluisteren van Arvo Pärt of van Orlando di Lasso of van wie dan ook. Ik voel mij boos, verdrietig en gefrustreerd dat muziek vals en vervormd klinkt. Normaal gesproken zou ik op een zaterdagmorgen een mooie klassieke cd opzetten en lekker rustig wakker worden met een beker koffie. Nu is het stil in huis. Het voelt kaal. Leeg. Het verlangen naar muziek is zo groot. Ik mis het en voel het verdriet daarover in elke cel van mijn lijf. Vandaag kan ik het niet hebben. Ik wil dat het niet zo is.

Ik zat op de bank. Het was zaterdagavond, al behoorlijk laat. Ik hoorde iemand boren. Ik zei tegen Hans: "Wat asociaal als je zo laat op de avond nog uitgebreid staat te boren." Hans keek mij aan met een gezicht vol verbazing. Hij zei: "Ik weet niet wat jij hoort, maar ik hoor geen boormachine." Ik vroeg me af wie er nu slechthorend was en was ervan overtuigd dat ik iemand hoorde boren. Uiteindelijk bleek het een bromvlieg te zijn die probeerde door het raam heen te vliegen, wat maar niet wilde lukken ...

Hans heeft voor zijn verjaardag van mijn ouders een prachtige cd gekregen waar hij zeer enthousiast over is. Tegelijkertijd voelt hij zich rot omdat hij weet dat ik dat met het CI niet goed kan horen. Vandaag praatten en huilden we daarom. Muziek kunnen we op die manier niet meer samen delen en dat voelt als een groot verlies. Het was een van de dingen die ons destijds bij elkaar heeft gebracht. Wat ons verbond. Waar we veel tijd en energie instopten en wat ons veel moois bracht. Hans genoot ook van mijn orgel spelen. Hij vond het leuk en mooi bij mij te zijn wanneer ik orgel speelde. Ik vond het heerlijk dat hij erbij was en er zo van kon genieten. Het moment moet nog komen dat Hans naar een concert gaat en ik niet meega. We weten allebei dat dit moment komt. Ik huil al bij de gedachte, ook al weet ik dat we daar doorheen moeten. Dat ik van veel muziek niet meer kan genieten, betekent niet dat het voor Hans ook stopt. Ditzelfde geldt voor andere mensen om mij heen. Zij zullen mooie muziek draaien, naar concerten gaan, helemaal in de ban zijn van een nummer, noem het maar. Dat hoort bij hun leven. Het hoorde tot voor kort ook bij mij.

Over mijn stem voelde ik tot voor kort nog veel onzekerheid. Ik wist niet hoe ik klonk en ik kwam nu en dan weleens mensen tegen die een opmerking maakten over mijn stem. Dat ze wel konden horen dat ik niet goed kon horen. Hoe dat dan klonk, dat konden ze mij vaak niet vertellen, maar ze waren er zeker van dat ik anders klonk door mijn slechthorendheid. Ik voelde mij daar erg ongemakkelijk bij. Of ik kreeg opmerkingen dat ik te luid sprak. Dat vond ik vervelend. Hoe klonk ik dan? Was mijn stem dan raar, stom, vreemd of afschuwelijk misschien? Ik kon het zelf niet goed beoordelen. Ook al wilde ik het niet, deze opmerkingen hadden toch invloed op mij. Ik was mij altijd zeer bewust van mijn stem. Een paar jaar geleden had ik een heel fijne en goede logopediste die mij van deze onzekerheid afgeholpen heeft. Sinds ik bij haar ben geweest voel ik mij goed over mijn stem.

Ik durfde niet te zingen. Thuis niet, want iedereen deed bij ons thuis en in de familie iets met muziek. Thuis werd er wat van gezegd als iets niet zuiver of mooi was. Als dat niet direct gebeurde, dan wel indirect. Mijn zus kan goed zingen. Vroeger zei mijn vader daarover tegen anderen: ja, Hendrika kan goed wijs houden en op toon blijven. Elske vindt dat moeilijker en wanneer het haar te hoog wordt gaat zij een octaaf lager zingen. Dus vanaf het moment dat ik wist dat ik niet goed kon horen en direct of indirect te horen kreeg dat ik niet goed kon zingen, durfde ik dat ook niet meer voluit te doen. Met een 'Lang zal ze leven' deed ik dan wat bescheiden mee. Dat is gelukkig veranderd. In mijn eigen huis zing ik weleens, ook wanneer Hans er is. Zijn aanwezigheid weerhoudt mij er niet van. Ook oefenen we wel met zingen. Ik ben ervan overtuigd dat het helpt bij het luisteren en verstaan. Volgens mij zorgt het ervoor dat nuances in stemmen beter of gemakkelijker worden opgepakt.

Gister was ik weer eens bij de kapper. Zij zei zo terloops: "Als ik je haar zo knip, blijft je implantaat mooi onzichtbaar." Ik dacht: daar heb je het weer. Dit deed me denken aan een artikel dat ik las in een tijdschrift over het zichtbaar maken van je beperking. Er is niets mis mee als je je haar kort knipt met als doel je apparaat of CI zichtbaar te maken. Het voorkomt wellicht dat je hoeft te zeggen dat je niet goed kunt horen. Er is óók niets mis mee als je je haar wat langer hebt omdat je dat mooi vindt. Het is niet per definitie zo dat als je langer haar hebt, je daarmee je hoorapparaat of CI wilt verbergen.

Bavarois is voor mij een moeilijk woord. Carburateur is ook zo'n lastig woord voor mij. Dat oefen ik dan met Hans. Hij legt mij in woorden uit hoe ik dit woord moet zeggen. Bij hem voel ik mij niet vervelend als ik het honderd keer anders uitspreek dan de bedoeling is. We hebben er dan vaak veel lol om. Hans heeft veel geduld en meestal wordt dat geduld beloond. Nog altijd moet ik een drempel over om zo'n woord goed te leren. Het liefste ga ik het uit de weg. Ik ben op de lagere school zo vaak uitgelachen om mijn spraak en stem dat het mij moeite kost mezelf toe te staan fouten te maken.

Hoofdstuk 15

Alles in mij schreeuwt om muziek. Het voelt alsof ik een grote liefde heb verloren. Een rauw gevoel heb ik in mijn lijf. Het doet letterlijk zeer. Ik wil zo graag muziek. Zo ontzettend graag. Afgelopen week had Hans de radio op klassiek FM aan staan. Het klonk afschuwelijk in mijn oren. Dit zijn situaties waar we nog wel doorheen moeten. Ik kan niet verlangen van de ander dat er geen muziek meer klinkt in huis, tegelijk kan ik nu ook nog niet in de kamer zitten en muziek aanhoren dat vreselijk vals en vervormd klinkt.

Hans en ik hebben vier jaar geleden een zeilbootje gekocht. Hans zeilt in zijn vrije tijd als maat bij een skûtsjesverhuurbedrijf. Nu wij het zeilbootje hadden, vond ik dat ik zelf maar eens op zeilles moest om te voorkomen dat Hans en ik elkaar de hersens in zouden slaan op ons bootje. Ik ging een week op zeilles. Het was al wekenlang prachtig zomerweer geweest, maar in mijn zeilweek waaide het windkracht zes, zeven, acht. Het perfecte weer om goed te leren zeilen. Ik zat met nog een cursist en een instructrice in een polyvalk. Ik had verteld dat ik toch wel wat angstig was, maar dat ik dat graag wilde overwinnen en wilde leren zeilen. De instructrice zei dat polyvalken zulke degelijke boten waren en dat ze niet om gingen, sterker nog dat ze bijna niet om konden gaan. De eerste dagen vond ik verschrikkelijk. Doodsangsten heb ik uitgestaan. We waren continu bezig aan het roer of aan de fok. We gingen héél scheef. Ik was bang dat we om zouden slaan. Dat ik zou verdrinken. Het waaide zo hard en de regen maakten instructies en uitleg voor mij onverstaanbaar. Daardoor werd ik nog angstiger. Tot overmaat van ramp sloeg er een andere polyvalk om! Een dag later bij het afvaren viel onze instructrice in het water. Dit alles voedde mijn angst. Op de derde dag stond ik 's morgens vroeg voor de zeilschool en belde naar Hans. Ik zei: "Ik zou

nu heel graag weer terug naar huis willen gaan. Zeg tegen mij dat
ik gewoon moet gaan zeilen." Die dag ging het stukken beter. Ik heb
mijn zeildiploma gehaald.

Via via hoorde ik over Emotionele Vrijheidstechnieken (EVT), een
methode die mensen kan bevrijden van emoties die door angst worden
veroorzaakt. Ik dacht: laat mij dat eens proberen in het kader van
mij bevrijd voelen in en rond het water. Ik maakte een afspraak en
heb in anderhalf uur de techniek onder de knie gekregen. Dat ziet er
dan als volgt uit. Stel je voor je bent bang voor de tandarts omdat je
bang bent voor pijn. Dan begin je met een zogenaamde opzetzin te
formuleren, wat in dit geval de volgende zou kunnen zijn: 'Alhoewel
ik bang ben voor pijn bij de tandartsbehandeling, accepteer ik mijzelf
volledig en houd ik van mijzelf.' Vervolgens klop je (tappen noemen
ze dat) met je vingers op bepaalde punten in je gezicht, sleutel-
been, onder de oksels en op je handen. Je blijft de opzetzin herhalen.
Daarna sluit je je ogen, doet ze vervolgens weer open en maak je
bepaalde bewegingen met je ogen. Vervolgens zing je de eerste regel
van een liedje en tel je luidop van 1 tot 10. Ten slotte doe je nog een

keer een tapserie en dan ben je klaar. Ik voelde mij werkelijk minder
angstig wanneer ik aan mogelijke pijn bij een bezoek aan de tand-
arts dacht. Vervolgens ging ik met Hans het water op in ons mooie
zeilbootje. Op het moment dat ik mij wat onzeker voelde, was het
moment daar en besloot ik EVT toe te passen. Het had mij tenslotte
75 euro gekost om het te leren! Ik brulde daar over de Friese wateren,
terwijl ik driftig aan het tappen was: "Alhoewel ik bang ben dat ik ga
verzuipen, accepteer ik mijzelf volledig en houd ik van mijzelf!"

Hans vroeg mij of ik het stuk 'Canon in D' van Johann
Pachelbel kende. Daar had ik nog niet eerder van gehoord.
Op velerlei wijze is die canon door verschillende instrumenten vertolkt. Hans had een pianoversie waar hij nogal ondersteboven van was. Hij heeft het mij laten horen. Ik kon er
geen melodie in ontdekken. Het klonk voor mij als allemaal
losse klanken waarin ik geen enkele samenhang kon ontdekken. Het enige wat positief was aan de pianoversie, was dat
het geluid steeds beter herkenbaar werd, doordat een piano
geen verschillende registers heeft. Van een melodie was er
in mijn oren echter geen sprake. De gitaarversie kwam het
beste uit de bus. De melodie was daarin beter herkenbaar.
Uiteindelijk hebben we een altfluit gepakt en zijn we toonladders gaan oefenen. Na een poosje kon ik er een toonladder in horen. Er waren een paar dwarsliggers maar ik kreeg
wel in de gaten welke toonladder het zou moeten zijn. Ik zei
tegen Hans: "Ik heb zo veel prachtige muziek gespeeld en nu
ben ik 'blij' met een toonladder die ongeveer als een toonladder klinkt." Verschrikkelijk. Een mens heeft gewoon muziek nodig in het leven. Het leven is niet compleet zonder.

Pijn en verdriet, zijn onlosmakelijk met het leven verbonden. Zonder pijn geen blijdschap. Mensen vragen weleens
aan mij: denk je nooit eens: waarom heb ik dit? Eerlijk gezegd, nee. Waarom zou ik dit niet hebben en een ander wel?

Het is zo'n vraag die ervan uitgaat dat er een lot is dat beschikt. Daar geloof ik niet in. Ooit was ik op een 'bomendag' in het bos van Gaasterland. Ik had geen idee wat we allemaal gingen doen, maar ik dacht: ik ben dol op bomen, ik ga mee. We gingen wandelen in het bos en nu en dan kregen we een opdracht. Zo moest iedereen een boom uitzoeken waar hij zich mee verbonden voelde. Die boom kon je dan omarmen, aaien met je wangen, of je kon er een gedicht over schrijven. Het was ongelofelijk wat je allemaal met zo'n boom kon doen. In dat groepje mensen was een man met wie ik tijdens de wandeling sprak. Ik vertelde hem dat ik slechthorend was. Hij zei tegen mij: "Wat maakt dat jij in dit leven niet wilt horen?" Ik dacht: dit kan niet waar zijn, ik zei: "Wat zeg je?"

Ik was even aan het tv kijken en viel midden in 'Het kleine huis op de prairie'. Daar keek ik vroeger altijd naar. Wanneer de uitzending afgelopen is, zie je een meisje dat huppelt door het hoge gras. Ik fantaseerde vroeger altijd dat ik dat meisje was. Er is dan zo'n mooi prairieliedje te horen. Ik herkende het muziekje nu niet. Ook kon ik niet bedenken hoe het klonk. Het heeft me uren gekost om het weer uit mijn brein te halen. Het laat me dan niet los. Ik merk dat ik bang ben muziek te vergeten. Dat er straks een moment komt dat ik niet meer weet hoe het klinkt. Zelfs als ik bladmuziek lees, is het niet meer automatisch zo dat ik het in mijn hoofd kan horen. Ik krijg steeds meer bewondering voor Beethoven, die doof werd en in zijn dove periode veel muziek componeerde.

In februari van het jaar 2007 besloot ik dat, wanneer ik een concert zou willen geven in mijn leven, wat altijd een wens was geweest, het nu de tijd was om mijn wens uit te voeren. Ook vanuit het oogpunt dat ik simpelweg niet wist hoe lang ik nog kon blijven orgel spelen omdat mijn gehoor schommelde en eerder slechter dan beter werd. Ik prikte een datum op 11 november 2007 's middags om drie uur. Samen met mijn orgelleraar John heb ik een programma opgesteld en ben ik aan de slag gegaan. Hans heeft foto's gemaakt van de orgels waar ik les op kreeg en van orgels waar ik zondags op speelde. Deze foto's werden bij binnenkomst op de muur geprojecteerd. Mijn moeder maakte een prachtig bloemstuk met echte orgelpijpen erin. Het is een waanzinnig mooie ervaring geweest. Het hele proces naar het concert toe was bijzonder. De lessen met John, de leerervaringen, de metamorfoses van de muziekstukken in de loop van de tijd. Ik heb zo veel geleerd van mezelf en over mezelf door de muziek. Wat een rijkdom. In de weken voor het concert heb ik een lang interview gehad met de lokale radio. Meerdere gesprekken heb ik gehad met een interviewer van omrop Fryslân en hij heeft ook opnames gemaakt toen ik in de kerk zat te oefenen. Het is uiteindelijk een mooi interview geworden. Als klap op de vuurpijl bood omrop Fryslân aan het concert op te nemen en een paar weken later uit te zenden. Dat betekende ook dat ik een mooie opname zou krijgen. Ik had mijn vrienden, familie, collega's en andere mensen die ik liefheb of met wie ik me verbonden voel uitgenodigd. De kerk was afgeladen vol, bomvol en iedereen was er. Het voelde of ging ik trouwen. Het concert was afgelopen. Ik had geen idee dat het zó vol was. Ik keek over de balustrade naar beneden en ik was stomverbaasd. Ik ging naar beneden en dat applaus, tja daar krijg ik nog kippenvel van als ik eraan terugdenk. Mensen konden in de kerk koffie/thee of een glaasje rode wijn drinken. Veel mensen bleven nog gezellig even napraten. Ik kreeg allemaal cadeautjes en bloemen, heel veel bloemen en zo veel lieve kaartjes. Onvergetelijk.

Sommige mensen vergelijken alles met elkaar. Dan zeggen ze: "Muziek is er niet meer bij, maar wees blij dat je weer kunt praten met mensen." Of: "Wees blij dat je niet blind bent, want dat is toch erg." Of, nog een stapje verder: "Als jij nou mocht kiezen: wel muziek maar niet spraak verstaan, wat zou je dan doen?"

Het lijkt erop dat mensen verdriet maar moeilijk kunnen ontvangen. Het is lastig om niets te zeggen of enkel en alleen: "Wat rot voor je." Voor mij is het duidelijk. Ik ben zo blij met alles wat ik hoor én ik ben zo verdrietig over het feit dat muziek zo slecht klinkt. Muziek is niet vervangbaar en daar zoek ik ook niet naar.

De periode na het concert is mijn gehoor blijven schommelen. De ene dag hoorde ik meer dan de andere dag. Voor de zomervakantie van 2008 kreeg ik nog een hoortest die dramatisch slecht was. Het was een tijd van incasseren en onzekerheid die op alle terreinen van mijn leven invloed had. De apparatuur op mijn werk, werd qua volume 'opgeschroefd' en bijgesteld. Ik zei steeds vaker: "Wat zeg je?" en gesprekken werden moeizamer en kostten nog meer energie. Feestjes werden inspanning in plaats van ontspanning.

Je moet het een plek geven, accepteren, loslaten, allemaal geweldige termen of zegswijzen.

Hoe doe je dat dan, iets een plek geven? Leg je het ergens neer? Stop je het in een kast? Wat is acceptatie? Een ander woord voor acceptatie is aanvaarden. Hoe doe je dat? Zeg je dan: "Oké, dit is het!"? Loslaten is ook zo'n term waar je iemand de mond mee kunt snoeren. Wanneer kun je iets loslaten? Op school werd in een les genoemd dat loslaten geen activiteit is, maar dat loslaten gebeurt wanneer je voelt dat je nergens aan vastzit. Voor mezelf gesproken kan ik dingen loslaten wanneer ik dwars door mijn verdriet ben gegaan. Dat ik het bij wijze van spreken van honderd kanten heb bekeken en gevoeld. Ik doe er graag iets mee. Letterlijk. Ik wil er handen en voeten aan geven. Dat helpt mij om het loslaten te kunnen laten gebeuren.

Deze week heb ik vijf maanden de aansluiting van mijn CI. Ik was op mijn werk en wilde voor een bijeenkomst een teamtolk regelen. Dan komen er twee schrijftolken in plaats van een. Zij wisselen elkaar af met tolken. Zo heeft steeds een tolk een pauze. Zeker wanneer het bijeenkomsten zijn waar veel mensen komen en er een druk programma is, is dit prettig. Via internet meldde ik mij bij Tolknet. Daar hoorde ik dat ik voor een teamtolkaanvraag eerst een aanvraag moet indienen bij het UWV. Die aanvraag waarin de noodzakelijkheid van twee tolken aangetoond moet worden, moet twee weken van tevoren bij het UWV binnen zijn. Het ontmoedigt mij. Ik krijg het gevoel dat het UWV denkt dat wij als doven en slechthorenden misbruik maken van de tolkvoorziening. Ze moesten eens weten hoe graag ik zonder tolk zou willen kunnen functioneren. Dat het mogelijk zou zijn om gewoon mee te kunnen draaien in groepen mensen. Wat zou dat heerlijk zijn. Een tolkvoorziening in groepen mensen voelt voor mij als een noodzaak. Ik kan daardoor de teamvergadering volgen op mijn werk of meedoen met een studiemiddag. Het stemt mij daarom verdrietig dat de weg naar een tolk door toedoen van het UWV zo moeilijk wordt.

Als slechthorende voel ik mij regelmatig een stoorzender. Wanneer ik bijvoorbeeld in de trein met iemand in gesprek raak kan het zijn dat ik op dat moment op een andere, voor mij betere plek zou moeten gaan zitten. Afhankelijk van de situatie doe ik dat wel of niet. Soms heb ik dan het gevoel dat ik de sfeer en de ontmoeting daarmee negatief beïnvloedt omdat sommige situaties juist ontstaan door de setting van dat moment. Het is een keuze om het wel of niet te doen. Als ik me dan erg moet inspannen om te verstaan, heb ik er ook geen slecht gevoel over. Alleen wanneer ik mijzelf in die situatie niet serieus genomen heb, het niet als een bewuste keuze heb ervaren en ik met de inspanning om te verstaan wel veel energie kwijt was, baal ik van mezelf.

Ik vind het jammer dat ik bij feestelijke gelegenheden vaak eerder wegga. Ik zou het liefste ook lekker willen blijven zitten, maar fysiek kan ik dat vaak niet opbrengen. Mijn oren tuiten, ik voel mij dan geluidsmoe, kan mij niet meer concentreren en kan nergens meer naar luisteren. Dan snak ik naar stilte en rust om mij heen. Het is al gauw te veel. Daar baal ik best weleens van. Vroeger ging ik overal heen en was zeker niet de eerste die naar huis ging. Jarenlang heb ik dat gedaan, maar sinds de man met de hamer is geweest, kan en wil ik dat niet meer opbrengen. Als ik ergens ben, wil ik daar niet als kamervulling zitten, maar ook werkelijk aanwezig zijn. Zodra ik dat niet meer kan, is het tijd om weg te gaan. Het was gezellig en een geslaagde avond hangt niet af van de duur van het bezoek maar van de kwaliteit van het bezoek denk ik dan maar. Naarmate ik ouder word zorg ik steeds beter voor mezelf en kom ik steeds meer in balans. Fijn is dat!

Vorige week kreeg ik een nieuwe afregeling. Ik ontmoette daar een andere CI-gebruiker, Arno. Ik ken hem van het forum. Wij deelden onze ervaringen. Er zijn nogal verschillen in hoe wij het geluid ervaren. Voor hem klinken mensen nog steeds een beetje als Donald Duck terwijl bij mij mensen al geruime tijd weer hun eigen stemmen hebben. Arno draagt op zijn andere oor een hoorapparaat. Dat geeft weer een ander effect. Ook moet zijn brein het geluid van hoorapparaat en CI synchroniseren, want het geluid van zijn CI komt net een fractie later binnen. Hij speelde vroeger fluit. Hij gaf aan blij te zijn met zijn CI maar was toch ook teleurgesteld over de kwaliteit van het geluid. Nadat we allebei een nieuwe afregeling hebben gekregen dronken we koffie en vroegen elkaar hoe anders de wereld om ons heen nu klonk. Het was een bijzondere ontmoeting.

Het afregelen van een CI is een bijzonder proces. Deze afregeling klinkt voor mij zachter, maar wel duidelijker en helder. Het klinkt rustiger dan de vorige afregeling. Mijn eigen stem klinkt zo raar en verandert bij elke afregeling. Dat zorgt ervoor dat ik mij de eerste dagen wat vreemd voel wanneer ik spreek. Ik schrik van mijn eigen stem en het is dan alsof ik mezelf voor een stukje kwijt ben. Zoals mensen kunnen schrikken als zij zichzelf op de radio of video horen, zo voelt dit voor mij ook. Morgen heb ik deze afregeling een week en 's morgens wanneer ik praat, voelt het nog vreemd maar naarmate de dag vordert wordt de stem weer meer van mij. Over een poosje valt me mijn eigen stem niet meer op. Tot de volgende afregeling.

Vandaag 23 september gaat mijn orgel de deur uit. Ik zie er als een berg tegenop. Ik doe mijn dingen en naarmate de dag vordert voel ik mij nerveus worden. De neiging om mezelf met iets lekkers te troosten, een zak chips of reep chocola kan ik bedwingen. Ik loop door de winkelstraat en heb zin om geld uit te geven. Ik kan niets vinden. Ik voel me niet leuk en daardoor vind ik niets leuk in de dubbele betekenis van het woord. Uiteindelijk kom ik met een flesje desinfecterende handzeep weer thuis.

Vier sterke mannen gaan de klus klaren. Het orgel kan niet door het trapgat en moet over mijn balkon heen getild worden. Met banden en touwen wordt het orgel over het balkon geleid. Ik zie het en maak er nog een foto van. Gevoelsmatig voel ik me rustig, een beetje weemoedig, maar ik ben er niet ondersteboven van. Ik heb mij al honderd keer voorgesteld hoe die kamer er uit zou zien zonder orgel. Nu is het zo. Het is leeg. Het voelt als een lege plek en nog niet als ruimte voor iets anders.

Doordat ik bewust met mijn beperking probeer om te gaan en daardoor keuzes maak wordt mijn omgeving zich ook bewuster. Ik wil mijn omgeving zo prettig mogelijk voor mijzelf te maken. Ik probeer voor de optimale situatie te gaan en niet genoegen te nemen met minder dan het beste voor dat moment en die situatie. Dat is iets wat nog niet altijd lukt, maar wel steeds vaker en beter. Het heeft met de ruimte te maken waar ik ben en met de mensen met wie ik omga. Kies ik bijvoorbeeld voor de beste plek om te gaan zitten of neem ik genoegen met een plek die minder ideaal is om de ander te verstaan, maar waarbij ik een ander niet hoef te vragen of ik op die plek mag zitten.

Ik heb mij voorgenomen om vanaf nu niet uit gemakzucht de e-mail te gebruiken als ik ook kan bellen. Het voelt voor mij nog spannend om te bellen. Niet met familie of vrienden, maar wel op mijn werk met verwijzers of cliënten. Ik ben daar nog wat onzeker over. Vandaag heb ik een paar cliënten gebeld. Het ging goed. De enige vergissing die ik maakte was dat ik dacht dat ik een meneer aan de telefoon had, maar het bleek een mevrouw te zijn. Oeps!

Toen ik een jaar of zeventien was en ik kerkdiensten begeleidde, speelde ik op een orgel dat zowat letterlijk jankte om restauratie. Veel registers waren niet bruikbaar. Een register maakte een enorm krakend geluid. In de kerk was een vrouw die een hele krakende stem had. Een andere jonge organist en ik hebben toen op het naamplaatje van dat register haar naam gekerfd ...

Het is fijn te merken dat, wanneer ik iets inspannends doe wat voorheen ervoor zou zorgen dat ik 'kapot' was van vermoeidheid, ik nu alleen nog moe ben, maar niet meer kapot. Dat is een belangrijk verschil. Normaal gesproken was het zo dat wanneer ik een studiemiddag had of een feest, dat ik dan het dagdeel dat erop volgde voor pampus op de bank lag.

Dan snakte ik naar stilte en rust om me heen en was al mijn energie op. Nu kom ik thuis, wel moe en ook dan snak ik wel naar een luisterpauze, maar ik ben sneller hersteld. Ik kan een paar uur later nog iets ondernemen als ik dat zou willen. Dat is winst, heerlijk!

In mijn leven met slechthorendheid waren er twee mensen die héél belangrijk voor mij waren. Dr. Schade, kno-arts en Peter Kraft, audioloog. Beiden heb ik altijd ervaren als mijn rotsen in de branding. Als er wat was, acute doofheid of andere sores, kon ik te allen tijde bij hen terecht. Dat bracht rust in de onrust. Beiden kennen mij al vanaf het begin, toen ik zeven jaar was en men ontdekt had dat ik slechthorend was. Zij hebben mij gevolgd in al mijn pieken en dalen van mijn gehoor. Zij zijn altijd open en eerlijk naar mij geweest en dat waardeer ik enorm. In 1994 toen ik weer acuut doof was, werd er al gesproken over een CI. Elke keer kon ik die dans ontspringen. Ook al stonden zij vaak net zo machteloos als ik wanneer mijn gehoor schommelde, toch waren zij tweeën voor mij de besten om patiënt bij te zijn!

Regelmatig droom ik over een CI in mijn linkeroor. Als ik mij probeer voor te stellen dat ik met links dan net zoveel kan horen als nu met mijn rechteroor, dat zou geweldig zijn. Ik droom er dan van dat ik moeiteloos gesprekken zou kunnen volgen en precies weet waar geluiden vandaan komen. Dat het verstaan in gezelschap vele malen gemakkelijker zou zijn. Dat zou toch heerlijk zijn! Ik hoop dat dit niet bij dromen blijft, maar dat ziektekostenverzekeraars zullen besluiten ook een tweede CI te gaan vergoeden.

Voor goedhorenden is het belangrijk dat ze merken aan slechthorenden dat zij er ook zelf alles aan doen om de situatie zo verstaanbaar mogelijk te maken. Het nodigt niet uit om je best te doen wanneer een slechthorende zijn hoortoestel niet aan heeft staan. Ik heb hier ook ervaring mee met mijn opa. Hij was zo slim om zijn hoortoestellen wel in het oor te hebben, zodat het leek alsof hij online was, maar hij had ze niet aan staan. Als ik bij hem op visite kwam keek ik eerst even achter zijn oren en zette zijn toestellen aan. Dan riep ik: "Contact!"

4 oktober 2009

Vandaag heb ik afscheid genomen als organist van de kerk. Een jaar nadat ik doof werd en bijna twee jaar na mijn orgelconcert. Het was een bijzondere gebeurtenis. Ik kon het niet opbrengen om bij de dienst aanwezig te zijn, daar te zijn en naar een orgel te moeten luisteren. Dat orgel dat voelt als 'mijn orgel'. De dominee en ik hadden afgesproken dat ik na afloop van de dienst samen met Hans zou binnenkomen. Zo gebeurde het.

Arie, die ik eerder in mijn verhaal heb genoemd, hield een toespraak waarin hij terugblikte op mijn orgel spelen. Hij bedankte mij voor al die jaren orgelspel en voor de mooie momenten die ik door mijn orgelspel aan mensen had gegeven. Ik was ontroerd. Hij eindigde zijn toespraak met mijn eigen woorden: "Onze verkering is uit, maar de liefde blijft." Ik brak.

In mijn toespraak bedankte ik de mensen in de kerk voor hun waardering en ook voor hun steun in het afgelopen jaar. Vele kaarten, brieven en e-mails heb ik gekregen, dat was hartverwarmend. Ik vertelde over de aanloop naar de doofheid van het afgelopen jaar en over mijn worsteling met muziek die toen al gaande was. Ik sprak over mijn jaren als organist en vertelde nog een paar anekdotes. Het was goed om het zo te doen. Ik voelde mij verdrietig en tegelijkertijd voelde het ook goed om het op deze manier af te ronden in de kerk voor het front van het prachtige orgel. Het was een intens afscheid. Veel mensen in de kerk waren ook ontroerd en drukten mij na afloop de hand. We hebben er op een mooie manier een punt achter gezet. Dit boek is gesloten. Een nieuw boek ligt vast ergens op mij te wachten.

Tot besluit

Aan het schrijven van dit boek hebben verschillende mensen bijgedragen. Enkele personen wil ik met name noemen.

Afia, met wie ik ooit begon te hardlopen, samen hijgend en puffend door het bos. Zij was degene die het zaadje bij mij zaaide, door te zeggen: "Ga er iets mee doen! Schrijf het allemaal eens op."
Guido gaf mij daarin het laatste zetje door te zeggen: "Ik zou werkelijk iets gaan doen met alle verhalen die jij hebt geschreven in het afgelopen jaar."

Hans, mijn grote liefde, heeft mij met engelengeduld, liefde en aandacht ondersteund in mijn schrijfproces. Hij bedacht de titel van dit boek en heeft mij geholpen de technische begrippen zo toegankelijk mogelijk weer te geven.

Rolien, de beste en liefste tolk die ik mij kan wensen, heeft het manuscript keer op keer gelezen en gaf mij vele waardevolle opmerkingen.

Met heit en mem en Hendrika en Bert heb ik bijzondere gesprekken gehad over hoe het vroeger bij ons thuis was, hetgeen een waardevolle bijdrage gaf aan dit boek. Ik wil mijn ouders bedanken voor hun liefde voor boeken die zij aan mij hebben meegegeven. Waar ik ook erg blij mee ben, is hun houding: 'Ga maar, kijk maar wat je wil en kunt' en daarmee geen enkele drempel opwerpend vanuit mijn slechthorendheid. Dat heeft ertoe geleid dat ik altijd heb kunnen gaan voor datgene waar mijn hart lag.

Greetje en Karla zijn twee lieve vrouwen met wie ik bevriend ben en die mij enorm gestimuleerd hebben in mijn schrijfproces.

Het ITH wil ik bedanken dat ik gebruik mocht maken van de informatie die op hun website staat.

Peter Kraft dank ik in de eerste plaats voor zijn jarenlange begeleiding als audioloog. Hij is een inspirerend, hartelijk mens bij wie ik mij altijd zeer op mijn gemak voelde. Ook dank ik hem voor zijn mooie voorwoord.

Ten slotte wil ik Jitske, de uitgeefster, bedanken voor haar aanstekelijke enthousiasme en de waardevolle begeleiding bij het schrijven.

Websites

http://www.onici.be
http://www.cochleaireimplant.nl
http://www.planplanadvies.nl
http://www.bionicear.nl
http://www.mp3check.nl
http://www.oorcheck.nl
http://www.stichtingplotsdoven.nl
http://www.hoorstichting.nl
http://www.opciweb.nl
http://www.doof.nl
http://www.fodok.nl
http://www.woordengebaar.nl
http://www.hoortest.nl
http://www.hooridee.nl
http://cochlearimplants.yourbb.nl/
http://www.acfriesland.nl
http://www.ncpld.nl
http://www.ggmd.nl
http://www.stichtingvogelvrij.nl
http://www.lionitas.nl
http://www.fcds.nl
http://www.oorakel.nl
http://www.spectrumleeuwarden.nl
http://www.ith-haptonomie.nl
http://www.binnen-ste-buiten.nl
http://www.emotievrij.nl
http://www.jackomorren.nl

Literatuur

Cahier Bio-Wetenschappen en Maatschappij 'Oren en ho-ren', 24e jaargang, nr. 3/4, 2005
(helaas uitverkocht)

F. Itani, 'De taal van de stilte', 2003

Drs. P. T. Kraft, 'Huh? Een boekje over je oor ...', 1999

Drs. P. T. Kraft 'Over horen', 1994

Oliver Sacks, 'Stemmen zien', 2002

D. Wright, Prof. Dr. R.Th.R. Wentges, 'Doofheid', 1993